南海の海鷲たち
南西方面の日本海軍航空隊

【海軍報道班員 阿部徹雄 撮影】

The Imperial Japanese Navy Air Groups in the Southwest Pacific Theater

〔解説/佐藤暢彦

大日本絵画

南西方面海軍航空部隊の塗装とマーキング【附：沖縄航空作戦の艦攻隊】

Painting Schemes and Markings of I.J.N. Air Groups in the Southwest Pacific Theater

イラスト／西川幸伸
illustrations by Yukinobu Nishikawa

1.二式水上戦闘機
第934海軍航空隊所属機 昭和19年3月

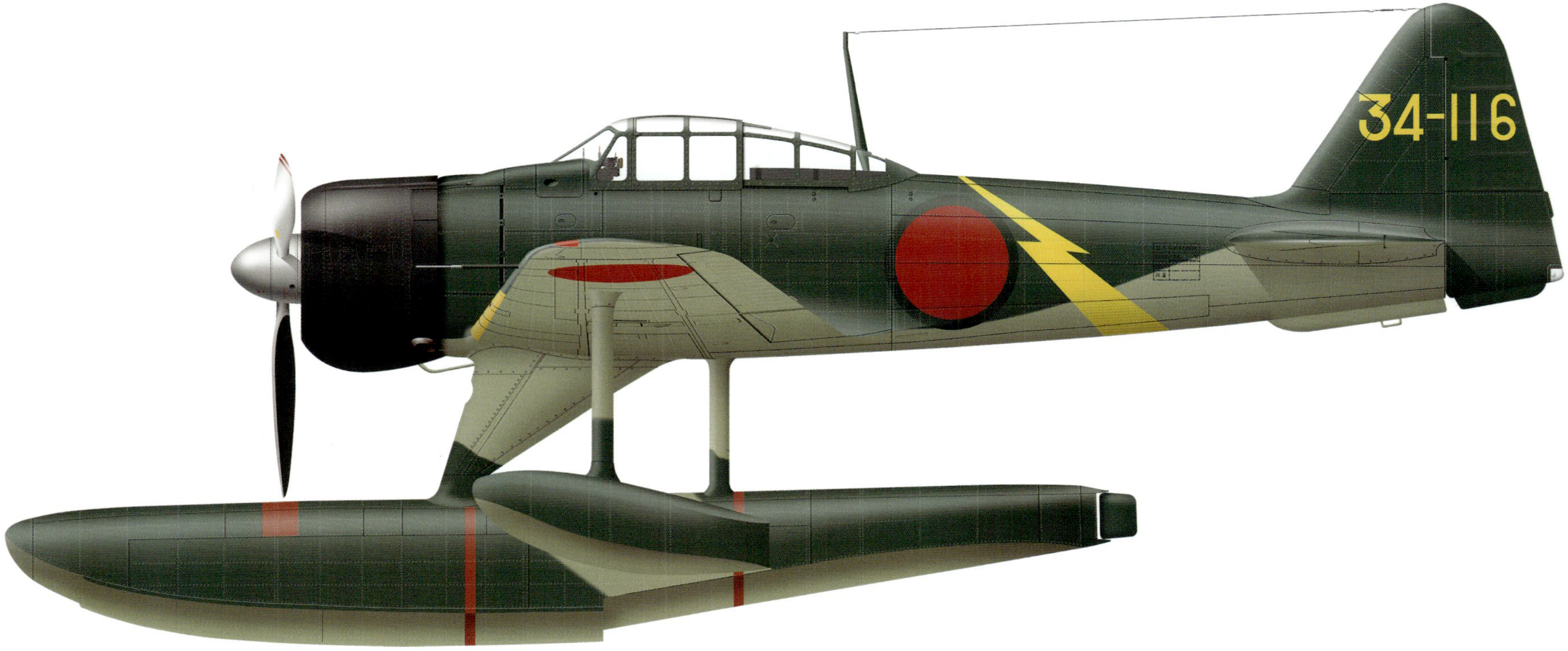

▲934空水戦隊の稲妻を描いた二式水戦の存在は以前から知られているが、本書で掲載した写真によりそれが〔34-116〕号機であることが判明した（ただし、複数機あった可能性もある）。本機は、この時期の海軍機によく見られるように主翼や胴体の日の丸の白フチを濃緑色でリタッチしているが、スピナーやプロペラブレードは銀のままというのが興味深い（南東方面の零戦は昭和18年秋頃から茶色に塗るようになっている）。

2. 二式水上戦闘機
第934海軍航空隊所属機 昭和19年3月

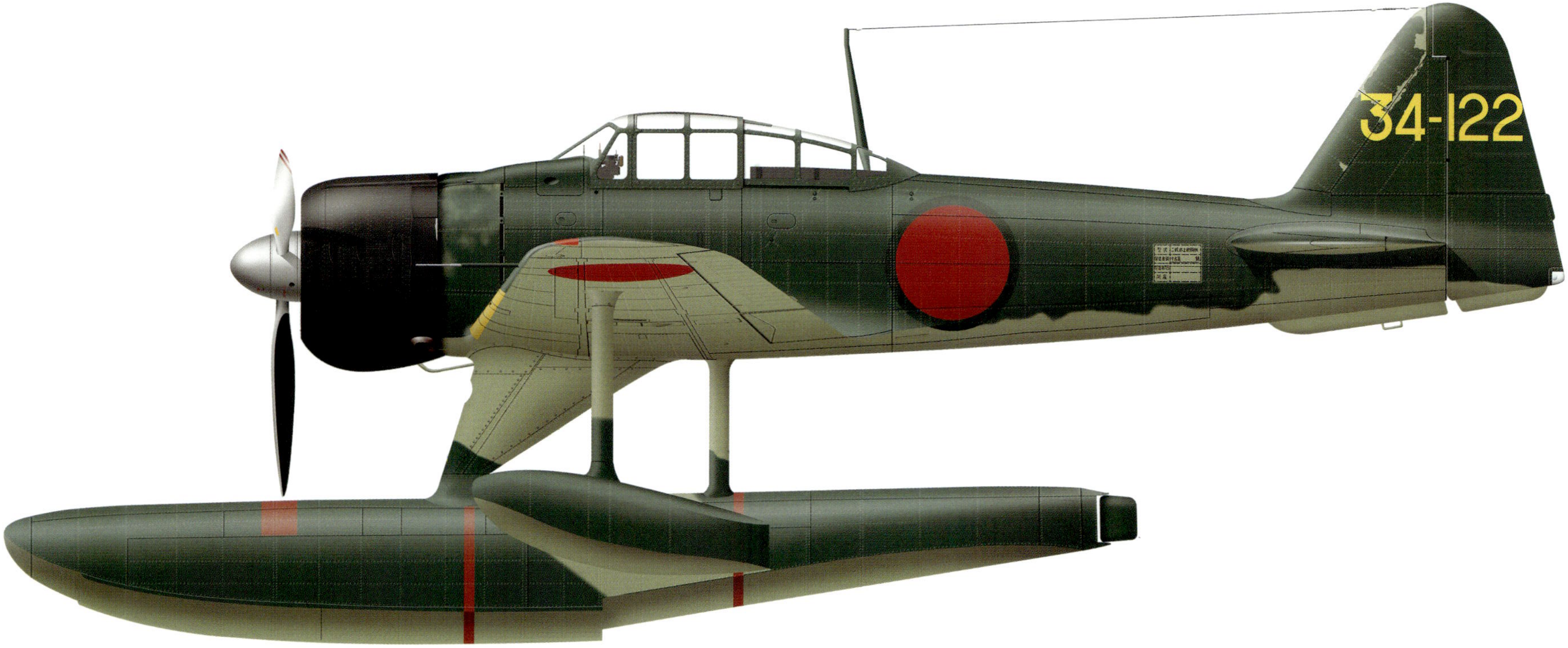

▲こちらも934空水戦隊の二式水戦〔34-122〕号機だが、本機はもともと中島飛行機で迷彩塗装が施される前に生産された灰緑色の機体にあとから濃緑色を塗ったようで、胴体後方から水平尾翼にかけての塗り分けが不規則になっており、機体銘板の部分が塗り残されて、もとの灰緑色が見えているのがわかる。防火壁前方の胴体や垂直安定板の上部などには濃緑色の剥離が見られ、随分と表情の多い機体といえる。

二式水戦には型式名がない!?

海軍機の名称には、兵器としての正式な呼称の次に型式名を現す二一型や五二型という表記がなされる。このうち10の位は機体の仕様（改修など）を、1の位はエンジン（換装など）を現している。ところが、「強風」登場までの中継ぎとして開発された二式水戦についてはその後の改修予定はなく、こうした型式名が付与されなかった。こうした例は導入当初の九九式艦上爆撃機（制式化後に二二型の開発が決まったから）、あるいは二式陸上偵察機などにも見られる特異なケースといえる。

3.水上戦闘機「強風」一一型
第934海軍航空隊所属機 昭和19年3月

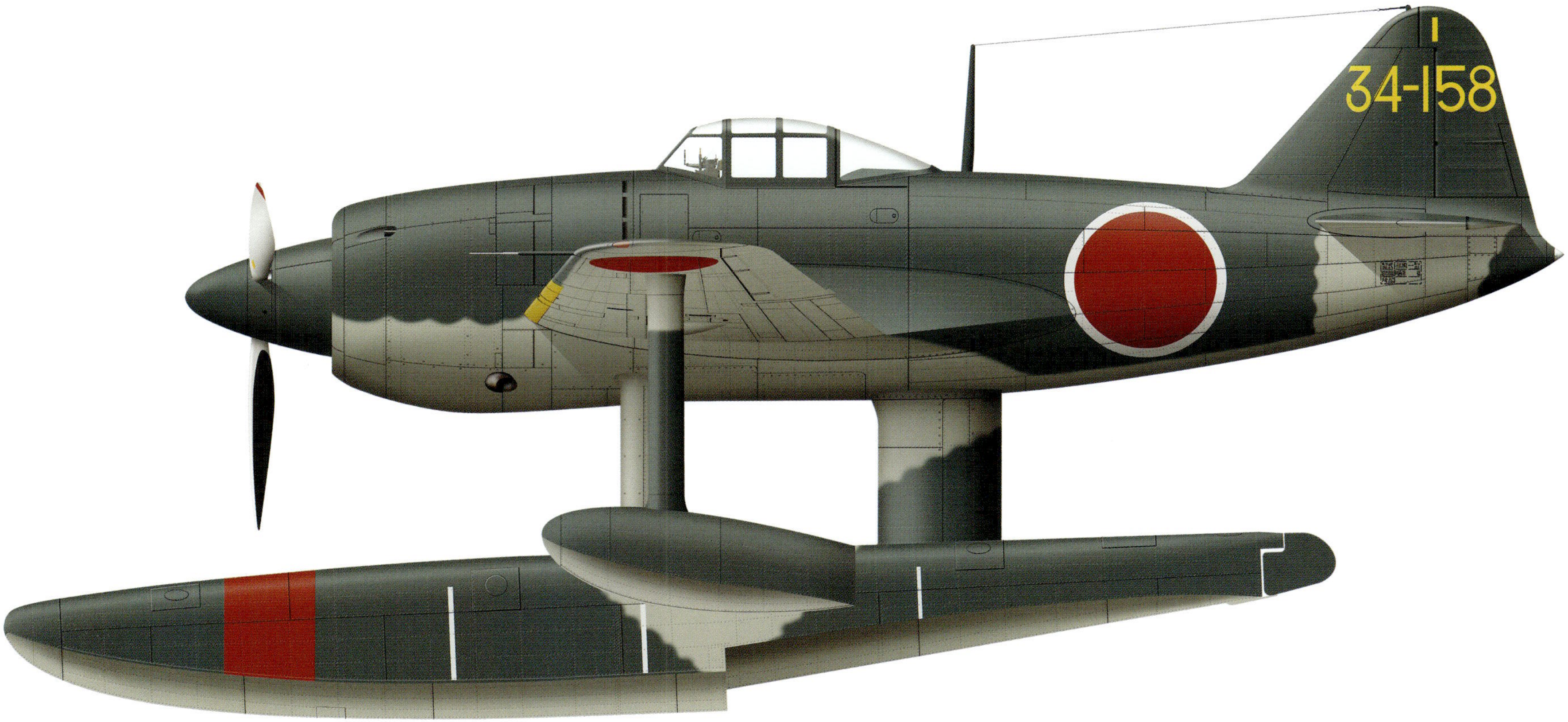

▲これまで南西方面の水上戦闘機「強風」の写真は少なく、その活躍もいささか伝説めいて伝えられていたが、やはりこれも阿部氏の残した写真により少なくとも3機（これは第23航空戦隊戦時日誌に記載された在アンボンの「強風」の機数と合致する）がここにあったことの裏付けがとれ、機体の全容もわかった。なお、写真では方向舵の上端にバーのようなものが描かれているのが判読できるので、これを再現している。

4.零式観測機一一型
第934海軍航空隊所属機 昭和19年3月

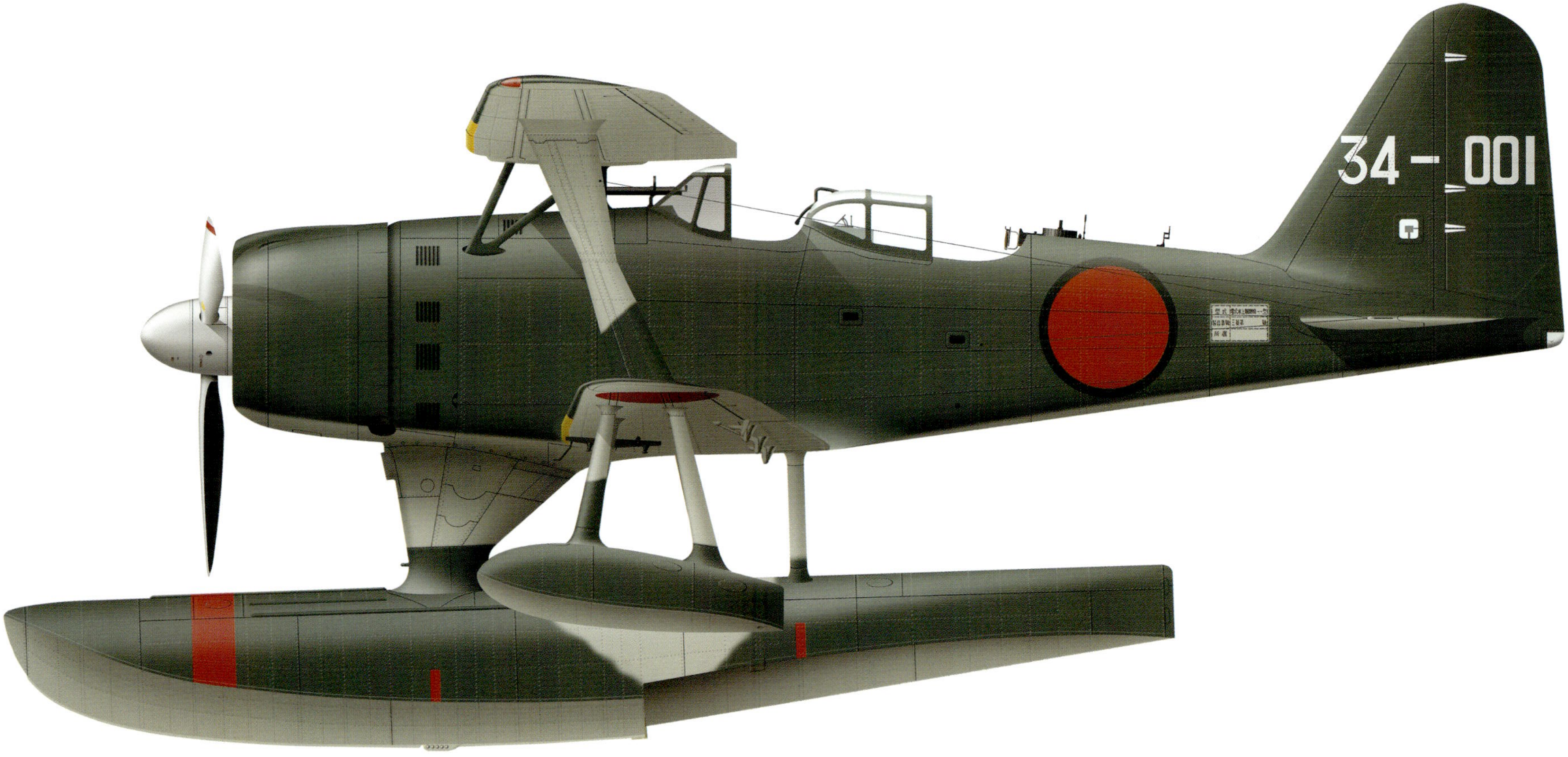

▲934空は水戦隊と観測機隊、水偵隊の3隊編成だったが、この零観は観測機隊の所属機。機番号の〔-001〕の記入法がちょっと珍しい。胴体の日の丸の白フチは濃緑色で塗りつぶされており、おそらく主翼上面のものも同様。スピナーやプロペラが銀のままであるのも二式水戦と同じである。彼ら934空観測機隊は対潜哨戒だけでなく、水戦隊とともに果敢にも重爆や敵戦闘機相手の邀撃戦を展開している。

5. 零式艦上戦闘機二一型〔報國（セラム第一號）〕
第381海軍航空隊所属機 昭和19年4～5月

▲381空はバリクパパン防空で活躍した部隊として有名だが、それは乙戦隊（のちの戦闘第602飛行隊）のほうで、図の零戦二一型を装備して戦ったのは甲戦隊（のちの戦闘第311飛行隊）のほう。垂直尾翼を灰緑色に塗ったのはもともと陸軍との共同作戦を行なうために202空でなされた敵味方識別標識だった。本機は胴体に報國號になったマーキングを施しているが、本来のものではなく、現地の人々の士気を高揚する狙いだったと思われる。

6. 零式艦上戦闘機二一型
第381海軍航空隊所属機 昭和19年4～5月

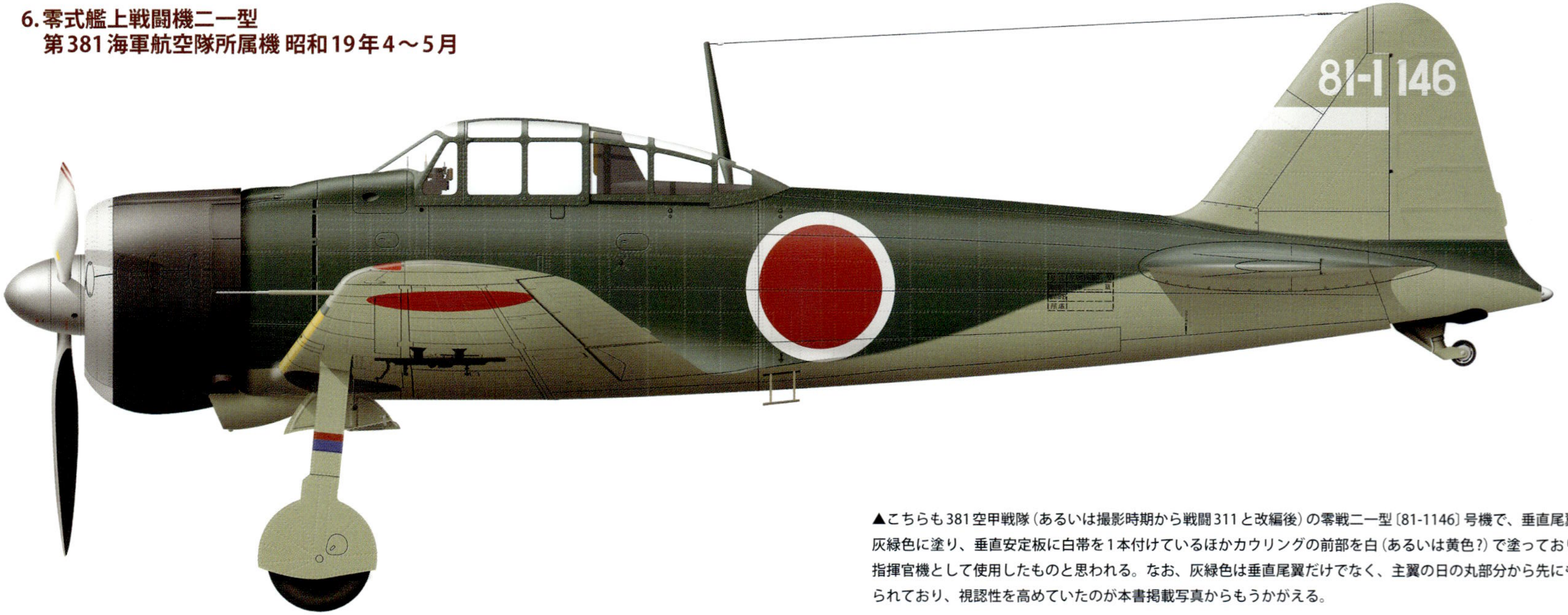

▲こちらも381空甲戦隊（あるいは撮影時期から戦闘311と改編後）の零戦二一型〔81-1146〕号機で、垂直尾翼を灰緑色に塗り、垂直安定板に白帯を1本付けているほかカウリングの前部を白（あるいは黄色?）で塗っており、指揮官機として使用したものと思われる。なお、灰緑色は垂直尾翼だけでなく、主翼の日の丸部分から先にも塗られており、視認性を高めていたのが本書掲載写真からもうかがえる。

7.零式艦上戦闘機二一型
第265海軍航空隊所属機 昭和19年5月

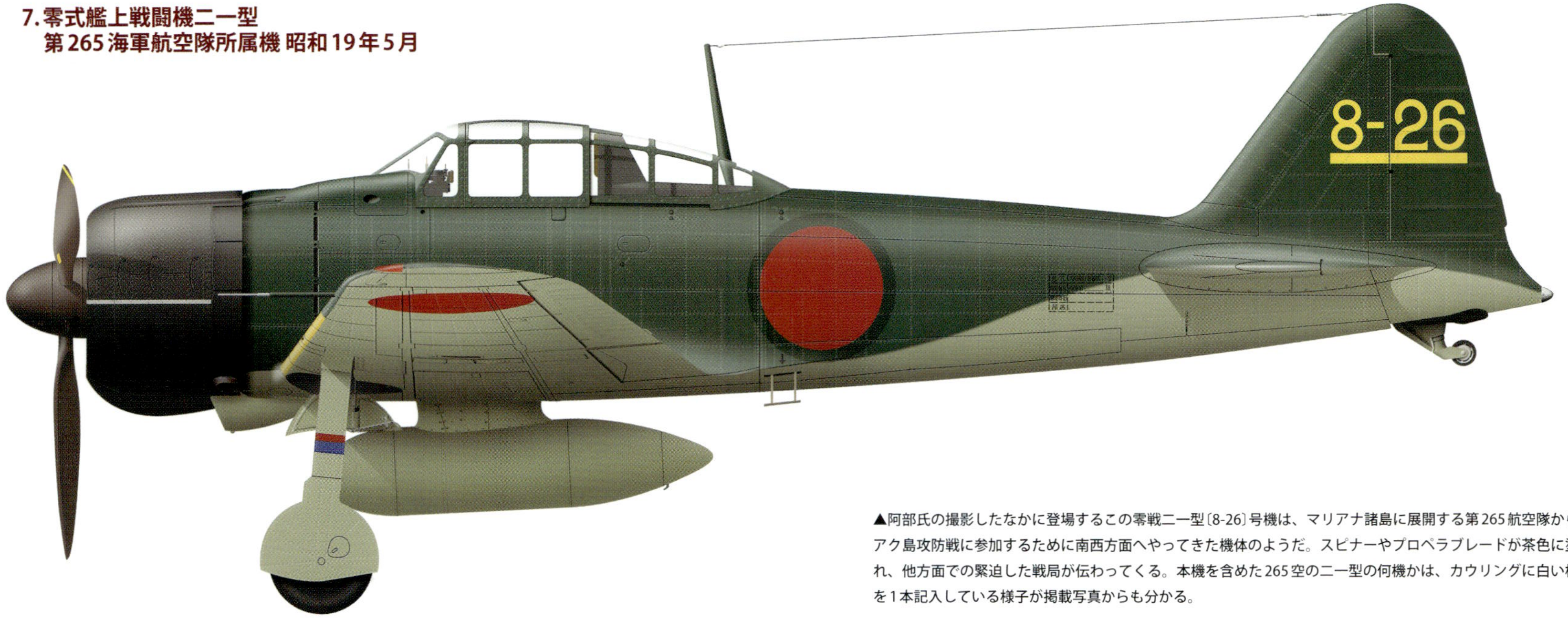

▲阿部氏の撮影したなかに登場するこの零戦二一型〔8-26〕号機は、マリアナ諸島に展開する第265航空隊からビアク島攻防戦に参加するために南西方面へやってきた機体のようだ。スピナーやプロペラブレードが茶色に塗られ、他方面での緊迫した戦局が伝わってくる。本機を含めた265空の二一型の何機かは、カウリングに白い横線を1本記入している様子が掲載写真からも分かる。

8.零式艦上戦闘機五二型
第265海軍航空隊所属機 昭和19年5月

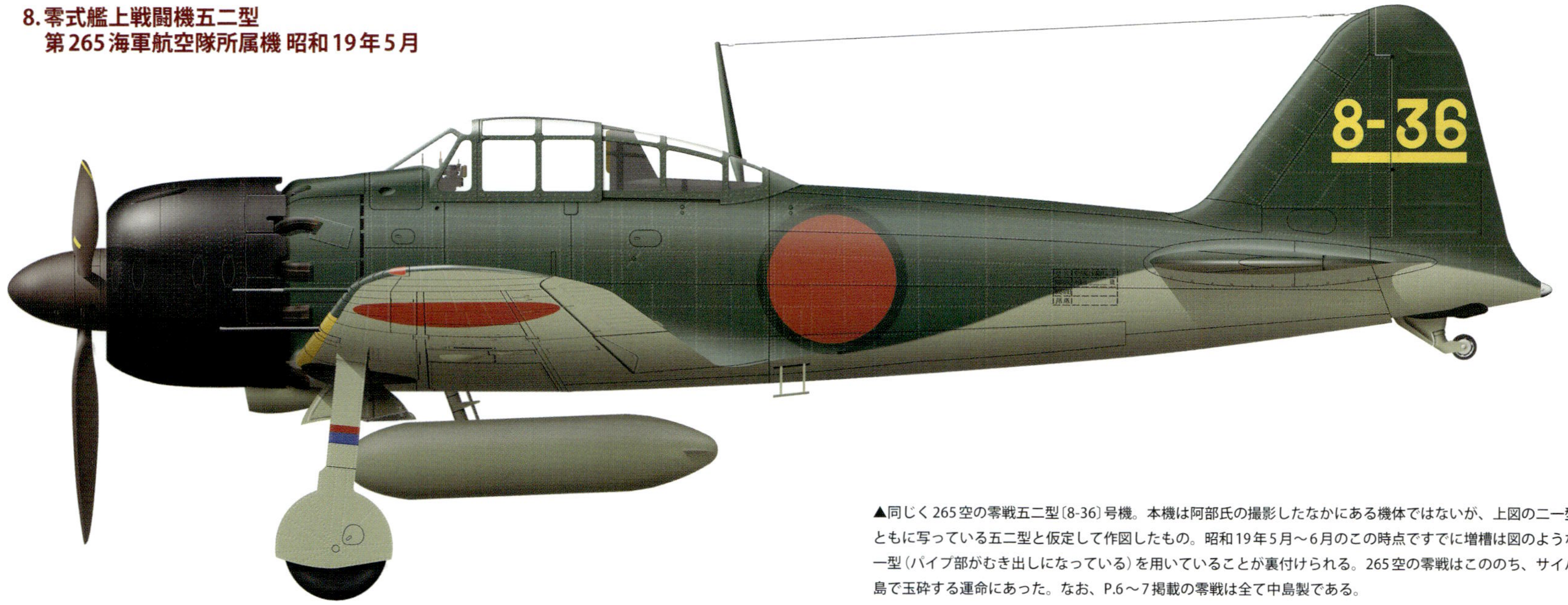

▲同じく265空の零戦五二型〔8-36〕号機。本機は阿部氏の撮影したなかにある機体ではないが、上図の二一型とともに写っている五二型と仮定して作図したもの。昭和19年5月～6月のこの時点ですでに増槽は図のような統一型（パイプ部がむき出しになっている）を用いていることが裏付けられる。265空の零戦はこののち、サイパン島で玉砕する運命にあった。なお、P.6～7掲載の零戦は全て中島製である。

9.一式陸上攻撃機一一型〔後期生産型・単排気管仕様〕
第732海軍航空隊第2分隊所属機 昭和19年3～5月

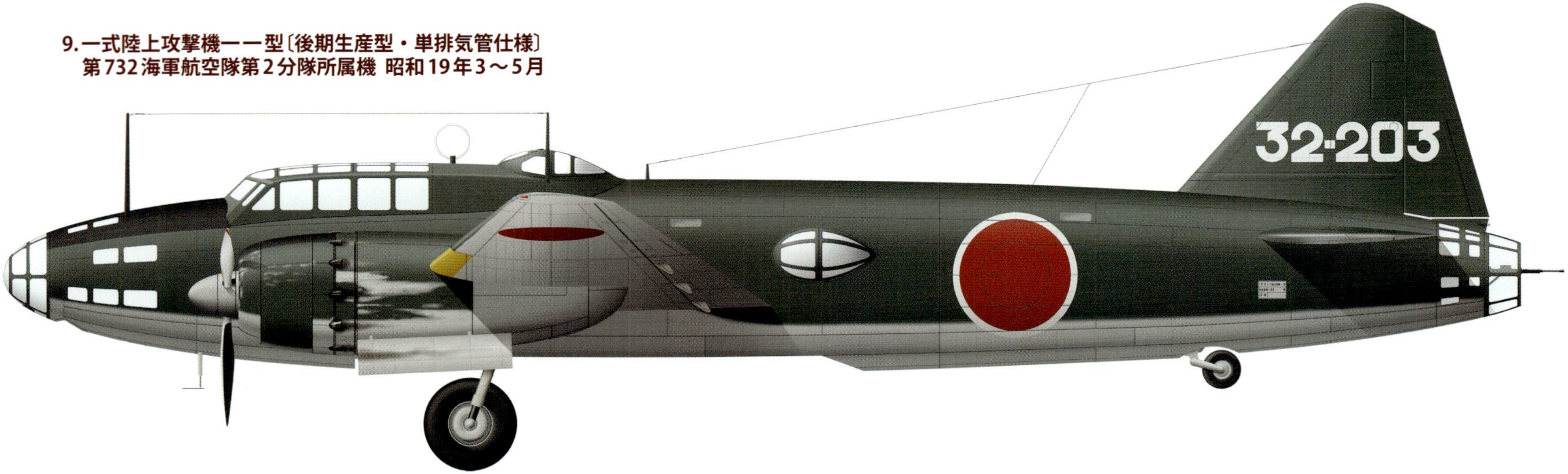

▲732空は当初陸攻隊員の錬成を担当する組織として編成されたが、この部隊の写真も数多く発表されていない。図は同隊の一式陸攻一一型〔32-203〕号機で、尾部銃座を改修し、単排気管を導入した後期生産機。熱の影響か排気管後方のナセル部の濃緑色の剥離が著しい。機番号は陸攻だと通常は300番台を使用するがこの機体は200番台を付けており、錬成部隊ゆえ分隊(空中での中隊)を現したものか。

10.一式陸上攻撃機一一型〔中期生産型〕
第732海軍航空隊第2分隊所属機 昭和19年3～5月

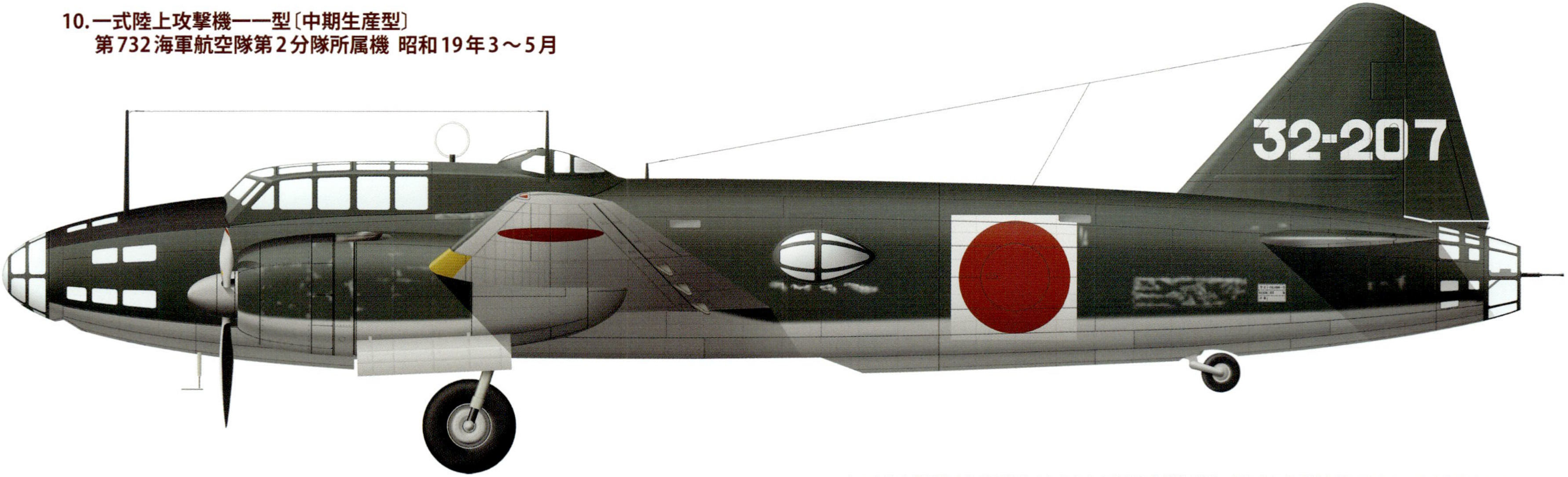

▲こちらも尾部銃座を射界が広くとれるよう改修した機体だが、排気管を集合排気管のままとした中期生産型の〔32-207〕号機。本機の胴体の日の丸は日章旗を思わせる白い四角地に浮かび上がるが、これは昭和17年4月のドゥーリットル空襲で、特に陸海軍の間での敵味方識別に困難をきたしたために取られた措置のひとつ。九九艦爆や九七艦攻などにもその例が見られる。

11. 一式陸上攻撃機一一型〔中期生産型〕
第732海軍航空隊第3分隊所属機　昭和19年3～5月

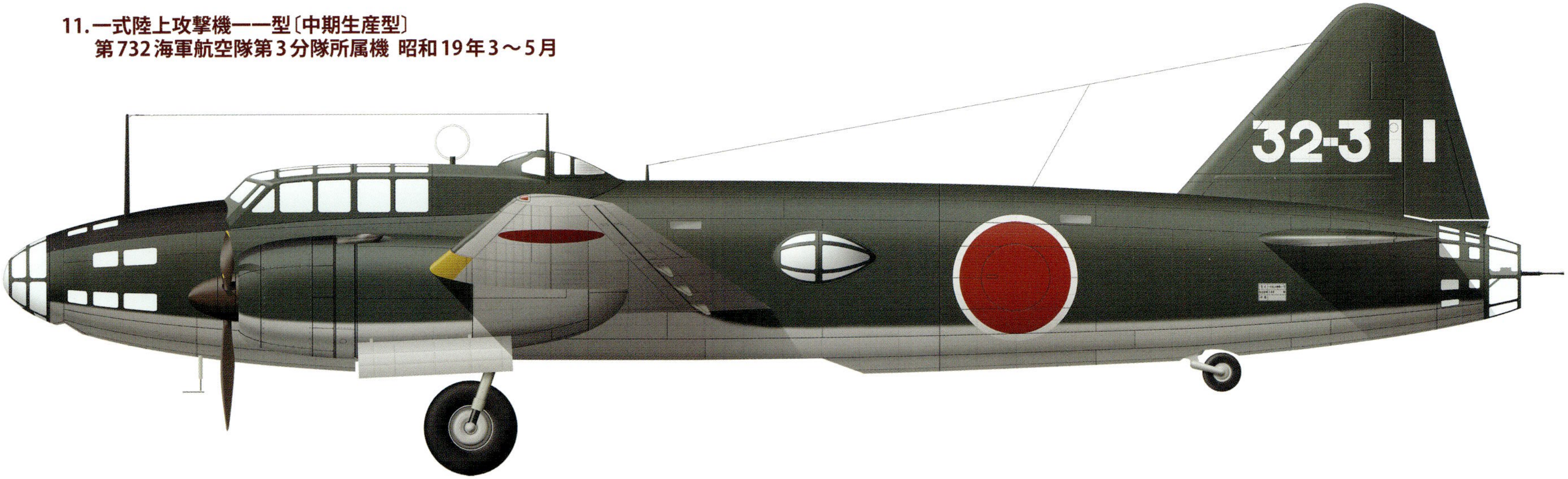

▲同じく732空の一式陸攻一一型〔32-311〕号機。これも尾部銃座を改修した中期生産型の1機とみえるが、航空廠でリフレッシュされた機体なのか塗装がピカピカで剥離がなく、スピナーやプロペラが茶色に塗られているのが目をひく。機番号は陸攻らしく300番台を付けており、ただしこれは第3分隊を現すようだ。

12. 一式陸上攻撃機一一型〔最後期生産型・単排気管仕様〕
第732海軍航空隊第3分隊所属機　昭和19年3～5月

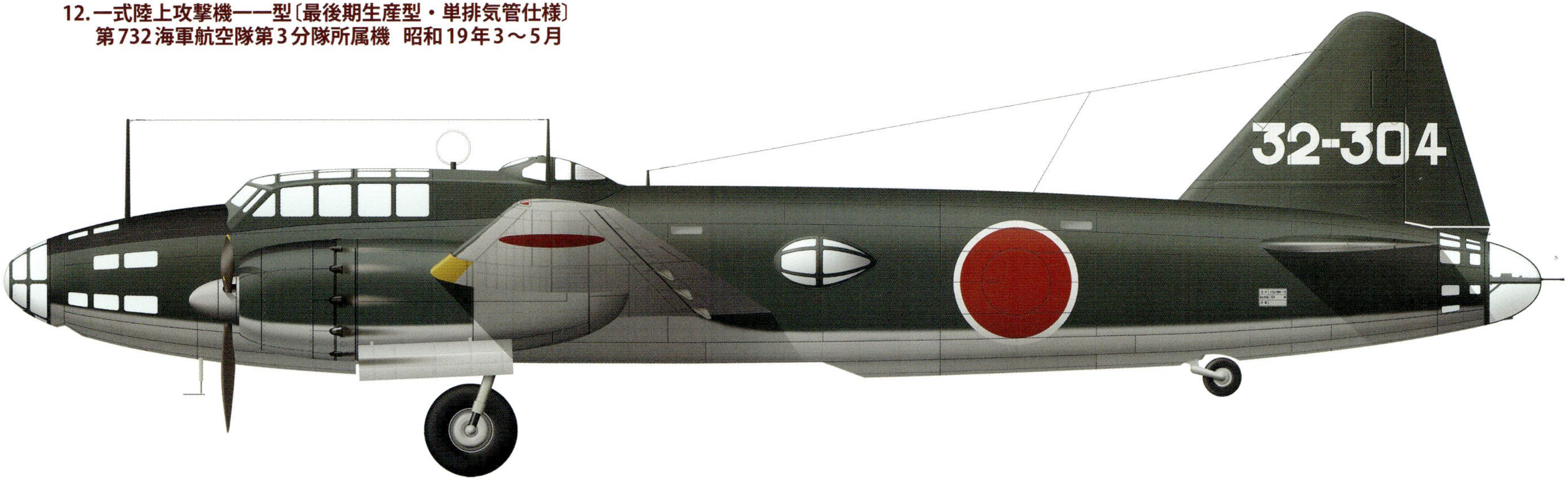

▲732空の一式陸攻一一型〔32-304〕号機。本機の最大の特徴はのちの二二型、二四型のように尾部銃座がV型に切り込まれた新式のものになっていることで、最後期生産型ということができる。なお、巷間諸説言われているが、一式陸攻の下面色は基本的に無塗装銀である。

13.艦上攻撃機「天山」一二型
第701海軍航空隊攻撃第251飛行隊所属機 昭和20年4月

▲昭和19年11月に内地へ帰還した阿部氏は翌20年4月に沖縄航空作戦の最前線のひとつとなった串良基地へ取材に赴いている。図の機体はその際に撮影された攻撃第251飛行隊の雷装天山〔701-96〕号機。写真をよく見ると垂直尾翼上部を一部塗りつぶしたような痕が見られ、あるいは攻撃251が以前にいた千葉県香取基地の他の部隊のようにZ旗を記入していたものかもしれない。なお、本機の九一式魚雷は十字型の框板を付けている。

14.九七式艦上攻撃機一二型
第931海軍航空隊所属機 昭和20年4月

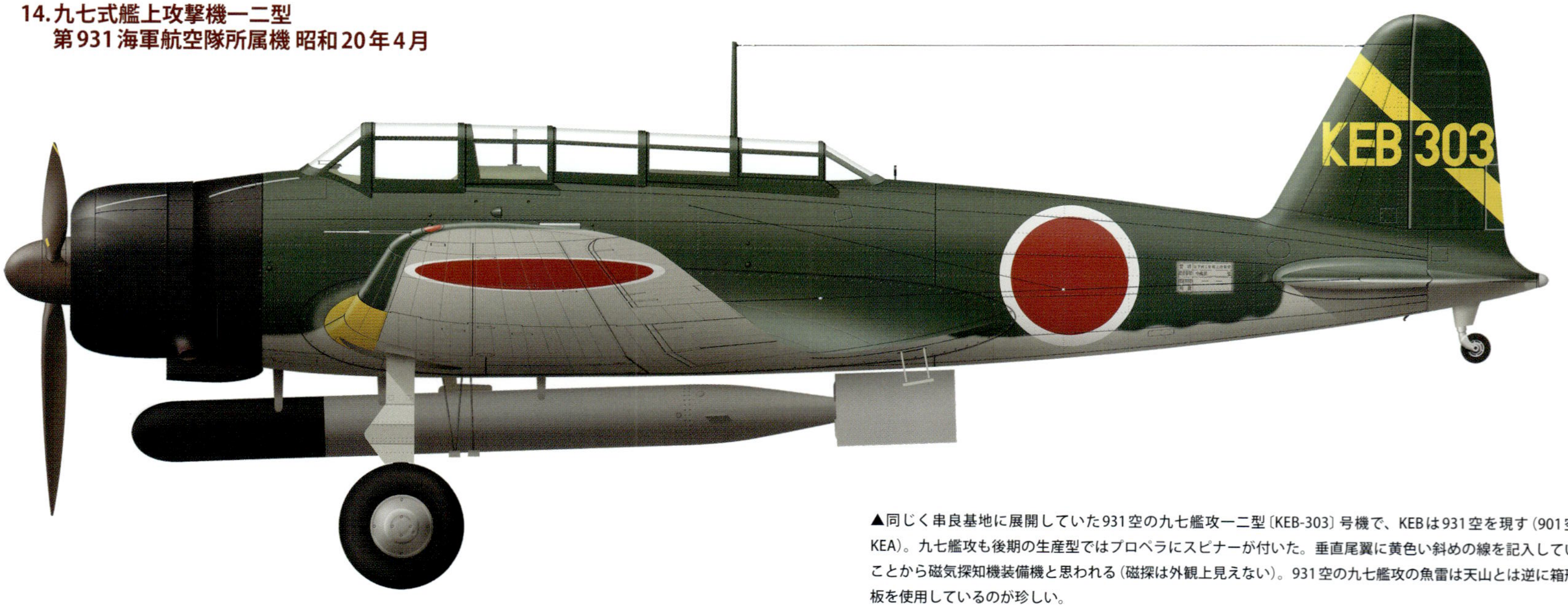

▲同じく串良基地に展開していた931空の九七艦攻一二型〔KEB-303〕号機で、KEBは931空を現す（901空がKEA）。九七艦攻も後期の生産型ではプロペラにスピナーが付いた。垂直尾翼に黄色い斜めの線を記入していることから磁気探知機装備機と思われる（磁探は外観上見えない）。931空の九七艦攻の魚雷は天山とは逆に箱形框板を使用しているのが珍しい。

15.九七式艦上攻撃機一一型
宇佐海軍航空隊所属機 昭和20年4月

▲昭和20年4月16日に串良基地から特攻出撃（のち八幡護皇隊として全軍布告される）した宇佐空の九七艦攻一一型〔ウサ-315〕号機。本機は永らく宇佐空で訓練機として使われてきたもので、機体全体が銀色の時代の写真も残されている。主翼前縁の敵味方識別帯の前後幅、同じく主翼前縁、濃緑色の主翼下面へのオーバーラップが広いのが宇佐空の機体の特徴。主翼下面の日の丸にも白フチが付いている。

16.九七式艦上攻撃機一一型
宇佐海軍航空隊所属機 昭和20年4月

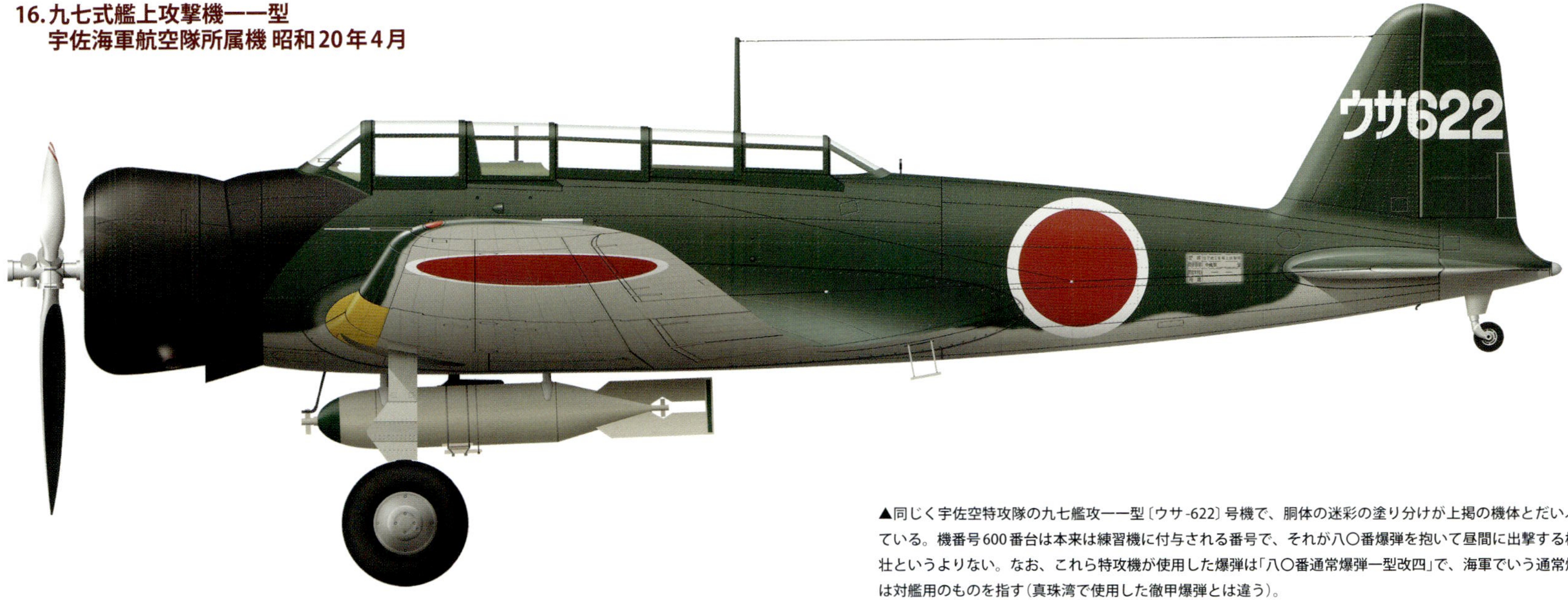

▲同じく宇佐空特攻隊の九七艦攻一一型〔ウサ-622〕号機で、胴体の迷彩の塗り分けが上掲の機体とだいぶ違っている。機番号600番台は本来は練習機に付与される番号で、それが八〇番爆弾を抱いて昼間に出撃する様は悲壮というよりない。なお、これら特攻機が使用した爆弾は「八〇番通常爆弾一型改四」で、海軍でいう通常爆弾とは対艦用のものを指す（真珠湾で使用した徹甲爆弾とは違う）。

はじめに

太平洋での激戦を経て日本海軍航空隊が消滅してからはや70年が経とうとしている。その間、海軍報道班員として従軍したプロのカメラマンや、海軍関係者たちによって撮影された写真が数多く発表され、今日ではおよその海軍航空部隊の姿が伝わっている。
ところが、そうしたなかにあっても写真があまり発表されてこず、装備する機体の様子がよくわからない部隊があったことも事実である。

そんななかに突如として現れたのが、毎日新聞社から海軍報道班員として従軍した阿部徹雄氏によって撮影された、当時、南西方面と呼ばれた戦域で活躍した海軍航空部隊の大量の写真であった。阿部氏は戦後、国内外の著名な画家との親交を持ち、ジャーナリストとして美術史を補完する数多くの著作を残しており、その名をご記憶のかたもおられるだろう。

ところが戦後、阿部氏は美術界に深く関わりを持つ一方で、報道班員時代の写真作品については一切、公

表せず、今日にいたった。

その存在が一般の目に触れるきっかけとなったのは阿部氏が2007年に亡くなったあと、作品を託されたご令息の阿部力氏の尽力によるものである。

3年に及ぶ広東支局での勤務経験を持つ阿部氏は、プロの報道カメラマンとして素晴らしい、迫力のある構図の写真を撮影し、その一部は当時の毎日新聞の紙面を飾っている。

しかし、戦時中のことゆえ、これらの写真は印刷がよくないばかりか検閲によって多くの箇所に修整が加えられたものだった。

本書は阿部氏が残した、昭和19年1月から同年11月までの間に南西方面を取材した際のアルバム、大量のネガから、とくに海軍航空部隊の姿を捉えたものを抜粋し、披露するものである。

それはこれまで、写真がないために脚光を浴びず、戦史に埋もれたままとなってきた南西方面の日本海軍航空隊の姿を再び歴史の表舞台へと導くものと断言できる。

幻のごとく伝えられてきた彼らの姿を、是非ご覧いただきたい。

【編集部】

海軍報道班員 阿部徹雄 従軍日程

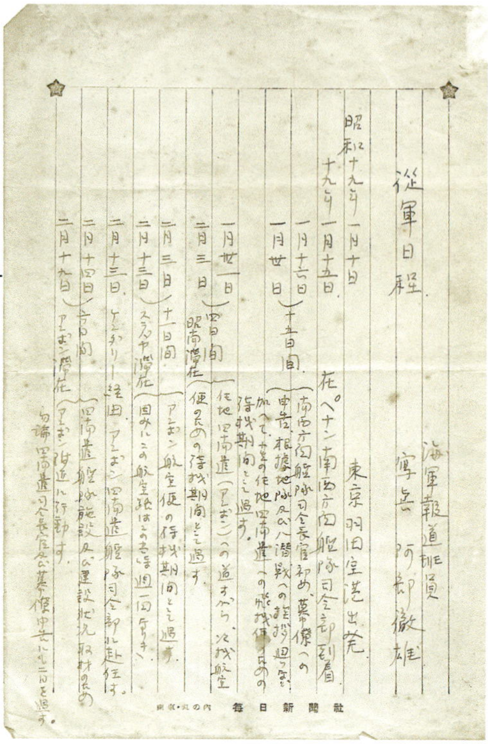
従軍日程
海軍報道班員
写真 阿部徹雄
昭和十九年一月十日 東京羽田空港出発
十九年一月十五日 在ペナン南西方面艦隊司令部到着
一月十六日
一月卅日 十五日間 (南西方面艦隊司令長官初め、幕僚への申告、根拠地隊及び八潜戦への挨拶廻りなど、加へて小生の任地四南遣への飛機便のための待機期間として過す。
一月卅一日
二月三日 四日間 昭南滞在 (任地四南遣(アンボン)への道すがら、次機航空便のための待機期間として過す
二月三日
二月十三日 十一日間 スラバヤ滞在 (アンボン航空便の待機期間として過す。因みにこの航空路はこの当時週一回なりき。
二月十三日、ケンダリー経由アンボン四南遣艦隊司令部に赴任す。
二月十四日
二月十九日 六日間 アンボン滞在 (四南遣艦隊施設及び建設状況取材のため(アンボン)附近に行動す。
勿論四南遣司令長官及び幕僚申告にも二日を過す。
東京・丸の内 毎日新聞社

本書をご覧いただくにあたり、阿部氏が作成した従軍日程の行動メモにより、いつ、どこで、どのような取材を行なったのかを整理しておこう。P.15の地図と見比べることにより、その足取りもわかってくるはずだ。

▶阿部徹雄氏が書き残した従軍日程の記録。昭和19年1月10日に羽田空港を出発してから同年11月17日に同じ羽田へ帰着するまでの行動が克明に記録されている。

昭和19年

1月10日		東京羽田空港出発
1月15日		在ペナン南西方面艦隊司令部到着
1月16日 1月30日	15日間	南西方面艦隊司令長官初め、幕僚への申告、根拠地隊及び八潜戦への挨拶廻りなど。加えて小生の任地四南遣への飛機便のための待機期間として過ごす。
1月31日 2月 3日	4日間 昭南滞在	任地四南遣(アンボン)への道すがら、次機航空便のための待機期間として過ごす。
2月 3日 2月13日	11日間 スラバヤ滞在	アンボン航空便の待機期間として過ごす。因にこの航空路はこの当時週1回なりき。
2月13日		ケンダリー経由アンボン四南遣艦隊司令部に赴任す。
2月14日 2月19日	6日間 アンボン滞在	四南遣艦隊施設及び建設状況取材のためアンボン附近に行動す。勿論四南遣司令長官及び幕僚申告にも2日を過ごす。
2月20日 2月26日	7日間 水雷艇「雉」乗組	四南遣命令によりアンボン港よりチモール島方面索敵及び輸送任務につく艦艇に取材する目的をもって乗込む。
2月27日 3月 1日	4日間 アンボン滞在	アンボン四南遣麾下根拠地隊に取材のため行動す。
3月 2日 3月 3日	2日間 アンボン港見張所滞在	濠北作戦中、有力電波探知機を四南遣司令部指示のもとに見学取材す。
3月 4日 3月 7日	4日間 ハロン海軍航空隊	司令部指示のもとにハロン水上基地に取材のため出張す。 第1章参照
3月 8日 3月 9日	2日間 アンボン第1砲台	高崎参謀とともに第1砲台に取材す。 P.106参照
3月10日 3月12日	3日間 アンボン地元取材	アンボン地元建設人に取材す。
3月13日 3月19日	7日間 セラム島に出張	ウラウ及びホニテイト軍管理農場の建設状況に取材す。

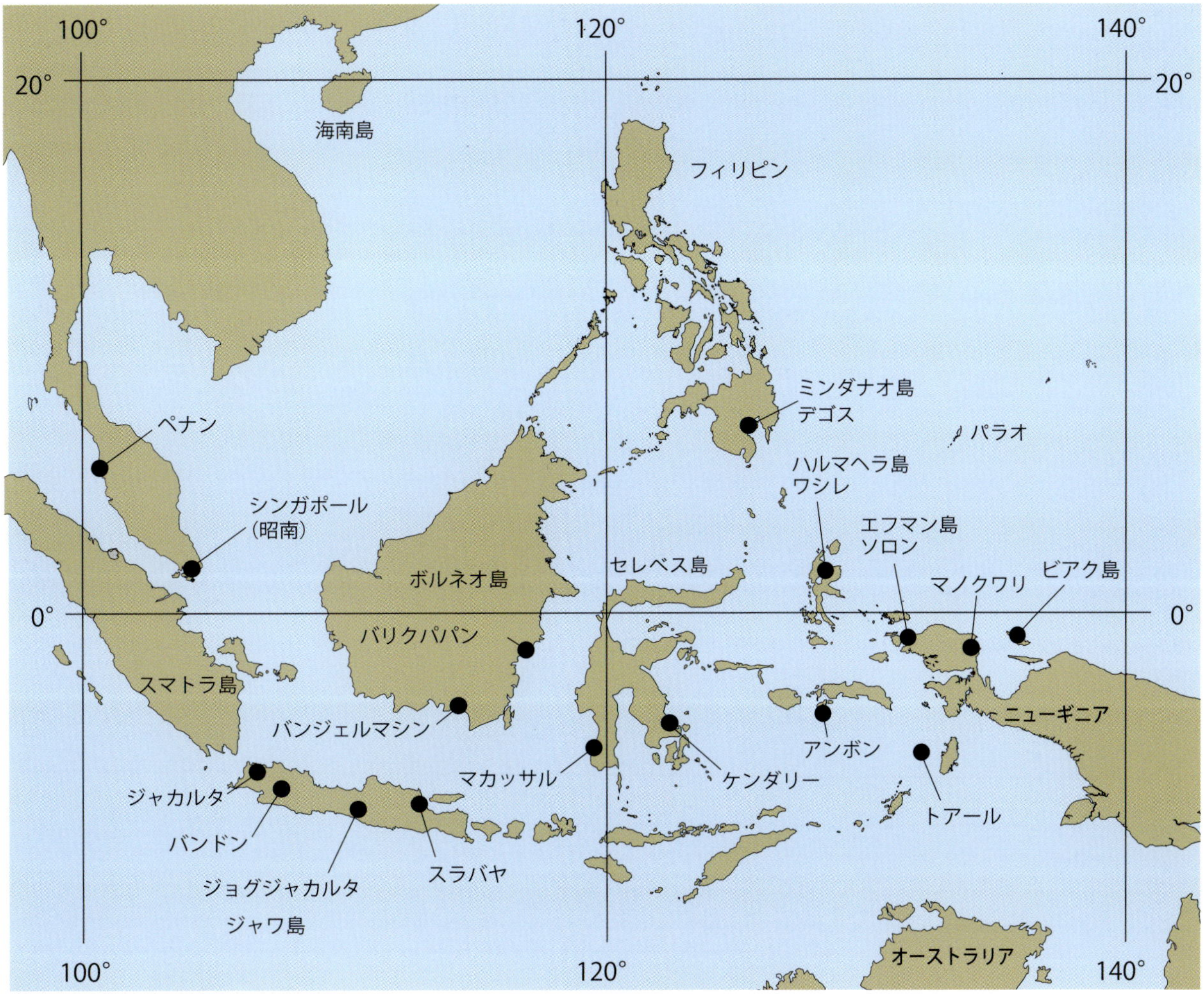

3月20日 3月22日	3日間 カイラート飛行場に出張	カイラート飛行場の基地建設に取材す。
3月23日 3月24日	2日間	侍従武官行動に附属す。
3月25日 3月31日	7日間 アンボン滞在	地元、現住民啓蒙工作及び民政部関係諸施設の見学をなす。
4月 1日 4月 5日	5日間 ラハ出張	ラハ飛行場○○航空隊の戦闘状況及び基地建設状況に取材す。
4月 6日	アンボンに帰還	
4月 7日 4月11日	5日間 ケイ諸島トアールに出張	濠北離島のケイ諸島駐屯の山岡部隊に従軍す。
4月12日 4月13日	アンボン滞在(2日間) 出張原稿の整理	
4月14日 4月16日	3日間 トレホ海軍療養所	司令部指示のもとにトレホ海軍療養所の患者について取材す。
4月17日 4月29日	13日間 アンボン滞在	司令部指示のもとにアンボン市中の建設、作戦近況に取材す。
4月30日		ニューギニア、ソロン島に進出、23航空戦隊に従軍す。
5月 1日 5月 9日	9日間 ニューギニア、エフマン島に滞在	23航空戦隊司令部と共にこの基地にあって取材す。

ラハはアンボンの陸上飛行場

▲阿部氏のアルバムには自身の手によるカラフルなスケッチが納められている。これはケンダリーで目にした食器の図柄を書き留めたもの。

▶こちらはキャプションがないが軍刀に吊るされたマスコットを描いたものらしい。

5月10日 5月14日	5日間 ニューギニア、ビアク島に進出取材	381空に従軍。戦闘機邀撃戦に取材す。	第2章参照
5月15日 5月17日	3日間 ソロン滞在	爆撃隊、戦闘機隊に取材す。	第2章、第3章参照
5月18日 5月25日	8日間 アンボン帰還滞在	前線原稿整理のため、及びケンダリー基地進出のため航空待機期間なり。	
5月26日 5月28日	3日間 セレベス島ケンダリー本部滞在	23航戦司令部基地に取材のため行動す。	
5月29日 5月31日	3日間 ポマラ鉱山に見学取材す	ニッケル鉱山として著名なこのポマラに取材行動す。建設写真グラフ構成なり。	
6月 1日 6月 6日	7日間	732空の作戦はげしきによりこのワシレ基地に取材行動す。 ハルマヘラ島ワシレ基地取材す。	第3章参照
6月 7日 6月10日	4日間 ミンダナオ島デゴスに滞在	732空本部に作戦行動取材のため行動す。	
6月11日 6月13日	3日間 セレベス島ケンダリーに帰還	23航戦司令部に原稿整理のため帰還す。	
6月14日 6月23日	10日間 スラバヤ滞在	南西艦隊司令部に連絡のためスラバヤ滞在、かねて報道資材の蒐集に過ごす。	
6月24日 6月29日	6日間 マカッサル滞在	934空対潜行動取材のためマカッサルにて滞在行動す。	
6月30日 7月 7日	8日間 セレベス島ケンダリーに帰還	23航空戦隊麾下部隊の戦闘状況取材のためケンダリー附近取材す。	
7月 8日 7月15日	8日間 コラカ、ワオトビ出張	月光部隊及び邀撃基地増強の模様取材のため行動す。	

7月16日 7月25日	10日間 セレベス島ケンダリー滞在	次期任務への待機期間としてこの10日間23航戦司令部にあり。
7月26日 7月31日	5日間 マカッサル滞在	23根拠地隊附となりセレベス島の建設近況取材のため滞在す。
8月　1日 8月　3日	3日間 パレパレ出張	セレベス西岸地区の建設見学取材のため出張す。
8月　4日 8月　7日	4日間 マカッサル滞在	
8月　8日		マカッサル根拠地隊斡旋のもとに前線講演をなす。
8月　9日 8月12日	4日間 マリリ出張	マリリ海軍療養所及びマリリ農場建設に取材せんとし、23根指示のもとに出張す。
8月13日 8月23日	10日間 マカッサル滞在	マカッサル市附近、防備施設及び市の原住民関係啓蒙機関を各所に亘り民生部案内のもとに見学取材す。
8月24日 8月31日	8日間 セレベス南部、マカレ、パロポ、マリリ、エンレヤン方面出張	南部セレベスの建設近況に取材せんとし、民生部小倉司政官と共に同行し、各地の戦力増強の様相に取材す。
9月　1日 9月12日	12日間	23根司令部指示のもとに水上基地の対潜様相の取材及び南部セレベス見学の原稿を整理す。
9月13日 9月16日	4日間 タカラル、ボンタイン方面に出張	塩田建設状況取材のため、及び海軍基地新設の状況に取材す。
9月17日 9月19日	3日間 マカッサル滞在	原稿整理のために滞在す。
9月20日 9月28日	9日間 掃海艇(11号便乗)	対潜作戦の模様及び船団護衛の様相に取材す。
9月29日 10月　7日	9日間 ボルネオ島バリックパパン滞在	油田地帯の見学、及びバリック航空部隊の従軍に取材し邀撃戦を扱う。
10月　8日 10月18日	11日間 ボルネオ島バンヂェルマシン滞在	ボルネオ南部の建設近況のめざましきものあるをもって、この部分に取材せんとし、バンヂェルマシンに滞在し、附近に行動す。
10月19日 10月26日	7日間 スラバヤ滞在	帰還航空便待機のために滞在す。
10月27日 10月31日	5日間 バンドン滞在	待機期間を利用し、ジャワの桃源郷バンドンを見学す。地質調査所、工業大学、シンバン天文台、作戦記念館、陶器試験所等なり。
11月　1日 11月　3日	3日間	ジャワ政治の中心地区としての見学のためにジャカルタ見学をなす。武官附を初め各種の調査機関などなり。
11月　4日 11月　5日	2日間 スラバヤ帰還滞在	南西司令部に帰還航空便に就て打合わすも未だ10日間ほどの余裕あるを知り、又々中部ジャワの見学に乗出す。
11月　6日 11月11日	6日間 ジョグジャ、ソロ滞在	両王侯地の見学に待機期間中を充分活用し見学取材す。
11月12日	スラバヤ出発内地帰還	
11月13日	昭南出発	
11月14日	サイゴン出発	
11月15日	海南島三亜出発	
11月16日	鹿児島指宿出発	
11月17日	東京帰着	

目次

凡例

※文中、ならびにキャプション中の用語はとくに断りのない限り日本海軍、あるいは海軍航空関係者の間で慣用的に使われたものに準拠した。とくに難解なものに関してはその都度説明した。

※各部隊名は最初に正式なものを表記し、それ以降は適宜、略記している。
例：第934海軍航空隊→934空
戦闘第311飛行隊→戦闘311

※年代の表記は基本的に元号を用いている。
例：昭和16年＝西暦1941年
昭和17年＝西暦1942年
昭和18年＝西暦1943年
昭和19年＝西暦1944年
昭和20年＝西暦1945年

*The terminology used in the texts and photo captions without special notion was based on those used idiomatically in the Imperial Japanese Navy or its Air Service. Those especially difficult were explained at each time.

*The name of a unit was shown its formal name at first, and the acronym was used subsequently.
e.g. 934th Naval Air Group → 934th NAG
311th Fighter Squadron → 311th FS

*The Japanese text basically uses the era name year for a date.
e.g. Showa 16 = AD 1941
Showa 17 = AD 1942
Showa 18 = AD 1943
Showa 19 = AD 1944
Showa 20 = AD 1945

第1章

Chapter 1：THE WATER BIRDS OF HALONG BASE

ハロン基地の水鳥たち

Tetsuo Abe, a reporter of Navy Reporting Group, left homeland in January 1944 and by way of Penang, Singapore and Surabaya, started his stay in Ambon from the middle of February for the coverage of the units under 4th Southern Expeditionary Fleet. The following photographs taken in March show the part of the actions of 934th Naval Air Group based at Halong Seaplane Base, Ambon Island.

昭和19年1月に内地を発った阿部報道班員は、ペナン、シンガポール、スラバヤなどを経て2月中旬からアンボンへ滞在、第四南遣艦隊麾下部隊の取材を行なっている。ここに紹介するのは3月に取材した、アンボン島のハロン水上基地に展開していた第934海軍航空隊の活動の一端だ。

〔解説／吉野泰貴〕

An A6M2-N of 934th NAG with the pilot started the engine for takeoff. Their major opponent in southwestern Pacific was the RAAF and 934th NAG fought well despite their numerical inferiority. An E13A is taking off over there.

▲操縦員が乗りこみ、これから離水にかかる934空の二式水上戦闘機。南西方面の主敵はオーストラリア空軍であり、934空は寡兵ながらもよく敢闘した。すぐ目の前を零式水偵が離水していく。

水戦隊帰投す
934空の二式水上戦闘機

The Return of Fighter Seaplanes
The A6M2-Ns of 934th NAG

▶昭和19年3月4日～7日、阿部報道班員はアンボン島ハロン水上基地を訪れ、第934海軍航空隊（934空と略）を取材している。934空は水上偵察機や水上観測機のほか、この方面で唯一となる二式水上戦闘機の水戦隊を有しており、その被写体の多くも零戦を水上機化したこの二式水戦となった。写真は任務を終えてハロン基地に帰り着き、編隊を解散して着水に移ろうとする二式水戦を捉えた珍しいもの。

Mr. Abe stayed Halong Seaplane Base from 4 to 7 March 1944 and collected materials on 934th NAG. In addition to reconnaissance and observation seaplanes, 934th NAG had the only Seaplane Fighter Unit in this sector using Nakajima A6M2-N, the seaplane version of Mitsubishi A6M2 Zero Fighter, thus many of his photos were to subject them. This photo shows a rarely recorded scene, the A6M2-Ns returned Halong Base from their sorties disbanding formation to start landing.

滑走水道に着水してのち、砂浜に設置された水上基地に滑り込んできた二式水戦。主翼下面には対潜哨戒時に使用する小型爆弾架が装着されているが、各機とも左右どちらか一方にしか付いていないことに注目。手前では整備員たちが帰りついた愛機を待ちわびている。

After landing on the water, the A6M2-Ns are sliding into the seaplane base situated at the beach. Attached under the main wing is the small bomb rack for anti-submarine patrol, but note each plane had only one rack under either of their wings. In the foreground, groundcrew are waiting their plane in charge.

帰り着いた機体は砂浜の手前で回れ右をし、機首を海のほうへ向ける「出船（でふね）」スタイルで砂浜へ繋留される。写真左側、操縦席の右側に降りた搭乗員の服装は南方の戦地でよく見られた半袖半ズボン式。ただしこれは比較的低高度で戦う機体に限られた服装で、零戦ではこうはいかない。

The returned planes changed the direction to head for sea and moored. The outfit of the pilot on the left plane is half-sleeved shirt and short pants style often seen in southern Pacific theater. But such outfit was only for the pilots fighting at relatively low altitude and those of A6Ms seldom wore such outfit.

▲陸上機とは違い、水上機が帰投した際は駐機位置へ納めるのも大わらわだ。写真はそんな慌ただしさが伝わってくる好例。画面右の〔34-115〕号機は前ページの左側に見えているものと同一で、手前ではやはり前ページで翼上に立っていた搭乗員が整備員と談笑している。中央の〔34-122〕号機は元々灰緑色であった機体にあとから迷彩を施したようで、胴体日の丸後方の塗り分けが右側の機体のように中島飛行機の工場で塗装された機体とは異なり、また機体銘板の部分も丁寧に塗り残されている様子が観察できる。各機とも、目立つ日の丸の白フチは濃緑色で丁寧に塗りつぶしているのがわかる。日本海軍に限らず通常飛行機は左側から胴体や主翼を伝って操縦席に乗り込むが、本機など水上機は胴体右側からフロート右側にラッタルを掛け、右側から乗り込むケースが多い。画面左奥、流木の向こうは同隊の零式観測機で、本機は開放式風防のため、操縦席付近にはカバーが掛けられているようだ。

Unlike landplanes, groundcrew of seaplanes is so busy to moor them in place after landing. This photo shows their busyness very well. The plane “34-115” in the right is also seen in the left of previous page’ s photo below, and the pilot who stood on the right wing is talking with a groundcrew friendly. The “34-122” in the center has locally adopted dark green camouflage over original light gray, for the bottom edge of the camouflage behind fuselage Hinomaru differs from the plane in the right with factory camouflage of Nakajima, still retains the name plate area carefully unpainted. The bright white rim of Hinomaru of each plane was carefully overpainted to reduce visibility. Not only with the IJN, the most of landplanes are boarded from the port side of fuselage, but in case of seaplanes like A6M2-N, a ladder was attached against the starboard side of fuselage and main float for boarding. In the left beyond driftwood is an F1M with the area around the open cockpits covered by tarpaulin.

After the series of works, the groundcrew of 934th NAG were photographed by the request of Mr. Abe. Their clothing is varied from loincloth only to short pants. The plane behind them is "34-111".

▼ひと作業が終わったところで阿部報道班員のリクエストに応じて被写体になった934空の整備員たち。その恰好は褌（ふんどし）一丁の者、半ズボンを履いている者とさまざまだ。一番手前に駐機するのは〔34-111〕号機。

▶前ページ写真と前後して撮影された1葉で、合図をもとに一斉に画面奥へと整備員たちが走っていく。搭乗員たちに比べ、普段脚光を浴びることのない彼らにとってはまんざらではない一瞬だったことだろう。二式水戦は手前から〔34-111〕、〔34-116〕、〔34-135〕号機と並んでいるが、手前から2機目の〔34-116〕号機には胴体に稲妻が書かれており、異彩を放っている。3機目の〔34-135〕号機の機番号は赤字に白フチを付けている。

This is one of the successive photos with previous pages showing the groundcrew rushing to their responsible planes at once under the order. To be subjected for photos would be a pleasure for them, because unlike pilots, they seldom attracted public attention. The A6M2-Ns are from foreground, “34-111”, “34-116” and “34-135”, however, the thunderbolt on the fuselage of “34-116” is quite conspicuous. The third plane “34-135” has red aircraft number with white outline.

水偵を見送る
934空の「強風」一一型

The N1K1 "Kyofu" Fighter Seaplanes of 934th NAG
Seeing Off Reconnaissance Seaplanes

▲離水にかかった２機の零式水偵。934空の水偵による索敵は２機単位で、零観や二式水戦の護衛が付く場合もあった。

Two E13As started takeoff. The reconnaissance mission of 934th NAG was carried out by a pair of seaplanes and sometimes accompanied by F1M or A6M2-N for escort.

◀934空には以前から水上戦闘機「強風」が配備されていたことが知られているが、これまでにその様子を捉えた写真は確認されていなかった。ここではハロン基地の砂浜に繋留された〔34-158〕号機ほかの複数の「強風」の姿が確認できる。十五試水上戦闘機として開発された本機は前年の１２月に実施部隊への供給が始まったばかり。その間に戦局は大きく傾き、他の方面では活躍の場を得ることはついになかったが、934空の展開した南西方面ではB-24の撃墜を記録するなど少なからぬ存在感を見せており、この画面からも重厚感が伝わってくる。前掲の二式水戦に比べ、胴体や主翼の日の丸の白フチが鮮やかに残されているのが目をひく。画面奥では３機の零式水偵が暖機運転をしながら離水点へ向かって滑走中。

While the deployment of N1K1 "Kyofu" Fighter Seaplane in 934th NAG had been known for long time, no photographic evidence was confirmed until now. In this photo, N1K1s including "34-158" moored at the beach near Halong Base are clearly confirmed. Developed as Type 15 Experimental Fighter Seaplane, the deployment of "Kyofu" had just started from the December of previous year, but as the situation turned considerably worse since then, N1K1 showed virtually no action except the southwestern Pacific theater where 934th NAG was deployed. As these Kyofu recorded some remarkable results including one shot down of B-24 bomber, we can imagine their toughness from this photo. Compared with A6M2-Ns in previous pages, the bright white rim of Hinomal on fuselage not overpainted is noticeable. In the background, three E13As are running to takeoff point.

時間軸としてはP.22と関連すると思われる1葉。この写真には二式水戦〔34-111〕、〔34-115〕、〔34-110〕、〔34-122〕号機が並んでおり、砂浜では給油に備えてフロントグリルに錨のマークを付けた燃料補給車が待機している。こうして見るとヘッドレストやクルシー無線機用のループアンテナのない二式水戦の操縦席後方の風防内は随分とすっきりした印象を受ける。画面奥には今帰着したばかりの零観が砂浜に向け滑走中だ。

▲左写真と前後する１枚。左の機体のカウリング直後の胴体部分にエンジン起動用のエナーシャ・ハンドル（クランク棒）が差しこまれているのが見えるが、こうした位置はやはり零戦とはまた違ったものだ。フロート支柱に菱形に開いている開口部は機首の7.7㎜機銃の撃ち殻薬莢放出口。右の機体の胴体後部ヒレに「コ」の字状に付いた金具は繋留用で、写真のようにホーサ（繋留索）を用いる際に使用する水上機特有のもの。

A successive cut with the left photo. Note the inertia handle (crank handle) inserted under the fuselage just behind the engine cowling of the left plane. The details such as the position of the handle hole also differed from usual A6M2. The diamond shaped opening on the main float pillar is the ejection port for nose 7.7 mm machine guns. The rectangular "U" shaped eye under the tail ventral fin is for mooring and used with hawser (mooring rope) seen in the photo.

This photo is also a relevant photo with page 22 in different time. In this photo, the A6M2-Ns of "34-111", "34-115", "34-110" and "34-122" are in line, and a fuel truck with IJN anchor crest on the grille is standing to for refueling on the beach. The rear part of the canopy inside of A6M2-N without neither headrest nor RDF loop antenna has much clearance in this photo. In the background, an F1M just returned is taxing to the beach.

▲▶発進待機中の二式水戦〔34-116〕号機（胴体に稲妻を描いた機体）の横を零観が水しぶきを上げて発進にかかる。上写真で中央に見える小型の舟艇は第一段作戦の際に接収したオランダ海軍アルジョエノ（Ardjoeno）級沿岸掃海艇を整備のうえ駆潜特務艇第102号型として就役させたうちの1艇（第119号はこの時点ですでに戦没しているので、第102号、第104号、第110号、第118号のうちのいずれか）を捉えた貴重なもの。基準排水量約80tの小型で、ハロン基地の狭い水域などで使用するには打ってつけであったことだろう。

A F1M starting for takeoff splashing water in front of A6M2-N "34-116" (The plane with thunderbolt on the fuselage) standing to for action. The small vessel in the center is one of Ardjoeno class coastal minesweepers captured from the Royal Netherlands Navy during the Operation First Step. They were rearmed and redeployed as Model No.102 Special Submarine Chaser by IJN, and while No.119 was sunk by this time, this boat is either of No.102, 104, 110 or 118. As their standard displacement was only some 80 tons, they were ideal for the use in shallow waterways near Halong Base.

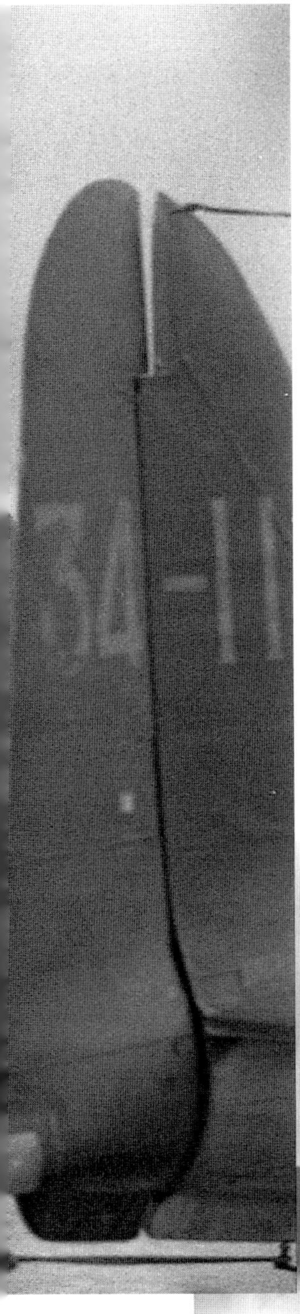

An A6M2-N and a F1M beached on the land area of Halong Base. The seaplane on a dolly is to be drawn by the tractor in the background. Unlike other A6M2-Ns, the not overpainted white rim of fuselage Hinomaru on the left plane is contrastive.

▲ハロン基地の陸上へ引き上げられた二式水戦と零観。運搬台車に載せた機体は画面奥に見えるトラクターで牽引されて移動する。ほかの機体と違い、左の二式水戦の胴体日の丸の白フチは塗りつぶさずに残されているのが対照的。

▲ハロン基地の「滑り」で運搬台車に載せられた零観〔34-001〕号機。このあと陸上へ引き上げられ、P.31上の写真につながる。本機は他部隊から譲り受けたためか、垂直尾翼の機番号をいったん塗りつぶしたうえで慌ただしく記入しなおした様子がうかがえる。934空の零観隊は偵察や対潜哨戒だけでなく、果敢にもオーストラリア空軍のボーファイターなどとの空戦を展開したことでも知られ、水戦隊を補ってあまりある活躍をみせた。

An F1M “34-001” settled on a dolly at the beaching slope of Halong Base. The plane will be moved to the land later and lead to the scene on page 31 above. As the roughly painted aircraft number on the vertical stabilizer seems painted on the overpainted background, this plane is conjectured to have been transferred from another unit. The F1Ms of 934th are known for fulfilling not only reconnaissance and anti-submarine patrol, but also air-to-air combat against RAAF’s Beaufighters valiantly.

▶〔右ページ上〕こちらも「滑り」で運搬台車に搭載された二式水戦。画面左方向、整備員たちが機体にとりついているが、とくにワイヤーなどが見えないが、自重にして2t近い本機を人力で押し上げようというのか!?　そんな心配をよそに主フロート後部にはバラスト代わりの整備員がまたがっている。

▶ 1/2ほど押し上げた状態を遠景で見る。中央に繋留された「強風」との対比がおもしろい。

Another A6M2-N settled on a dolly at the beaching slope. In the left of this photo, while groundcrew clinging on the airframe are seen, but as no traction wire is visible, are they trying to push up this plane of nearly 2 tons by man power? Despite such an anxiety, a groundcrew is mounting on the rear end of main float for balancing.

The long shot of the beaching proceeded halfway. The contrast with the "Kyofu" in the center is interesting.

◀ようやく坂を上りきろうとする二式水戦に整備員たちの力もしばし緩む。画面左端の「強風」の機番号は〔34-182〕と読める。こうして「強風」が3機も並んだ様相は勇壮そのもの。激闘続く南東方面では昭和18年暮れ頃からプロペラやスピナーが茶色に塗られるようになったが、ハロン基地の水上機たちは銀色のままで、戦局に余裕があることをうかがわせる。だが、この3週間ほど前の2月17日、内南洋の要衝であるトラック島が大空襲を受け壊滅、ラバウルからは海軍航空隊も撤退している状況だった。なお、書類上は3月1日付けで934空から水戦隊は削除されているが（第2章参照）、中旬まではこうして活動を縮小しつつ存在していた。

As the A6M2-N has almost been raised to the top of the slope, the groundcrew loosened their grasp on it at last. The number of "Kyofu" in the left is identified as "34-182". The view of three "Kyofu" in line is literally valiant. In the southwestern Pacific theater where fierce battles were ongoing, the propeller blades and the spinner of many IJN aircrafts were repainted brown from about the end of 1943, but the fact those of the seaplanes at Halong Base remained silver suggests the situation with them was relatively calm. But the general situation was so critical that on 17 February, about three weeks before this photo was taken, Truk Island, the important strategic point in southern inner Pacific area was annihilated by massive Allied airstrikes and the bulk of naval air detachments in Rabaul was also retreating.

episode 1

南西方面で英豪空軍とわたりあった第934海軍航空隊水上戦闘機隊

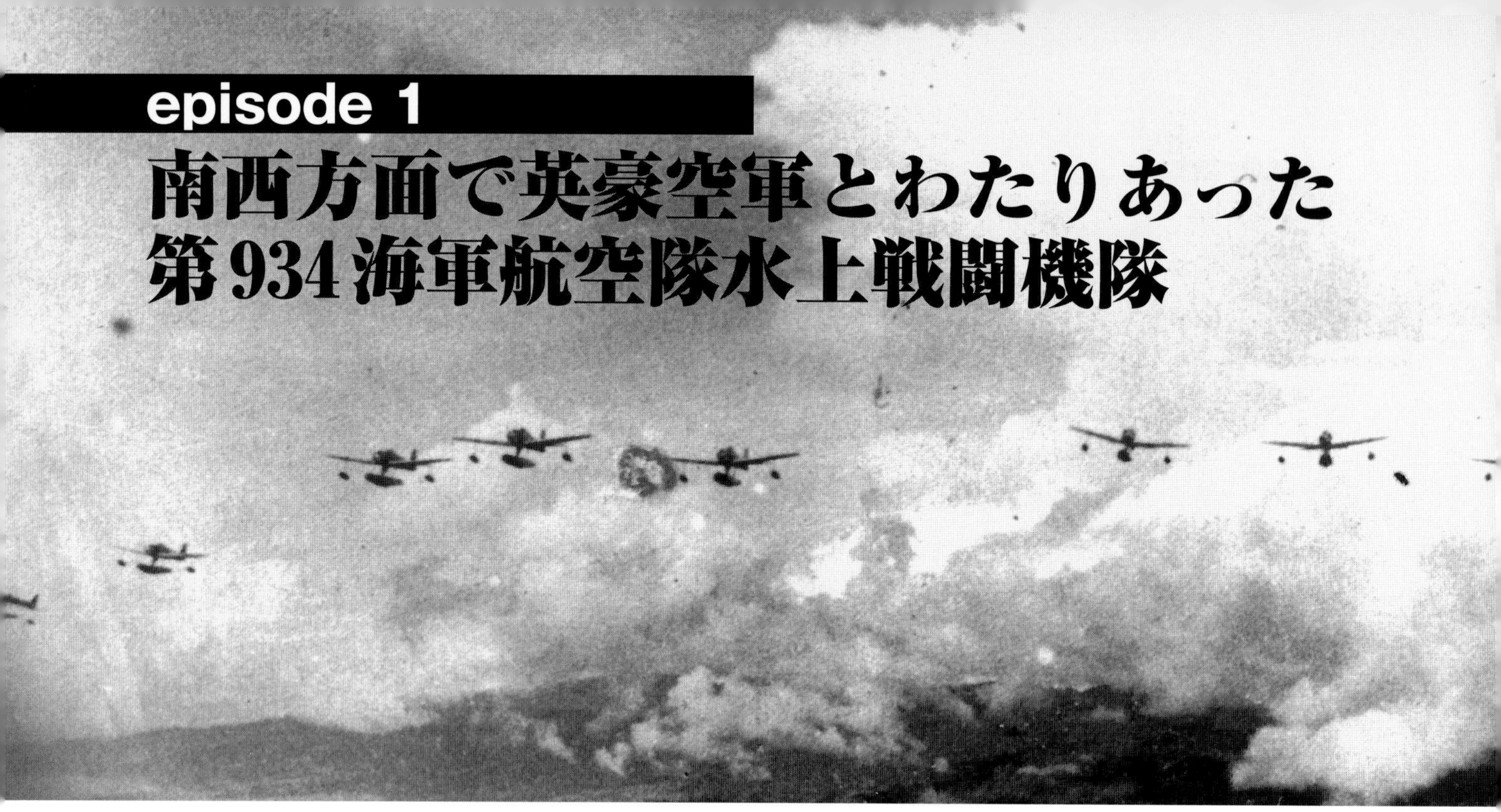

第２次世界大戦における日本海軍の水上戦闘機隊の活躍はお馴染みだが、南西方面での活動はあまり知られていない。ここではその意外な敵闘の一端をのぞいて見よう。〔本稿写真提供／伊沢保穂、文／吉野泰貴〕

数が少ない水上戦闘機隊

日本海軍といえば世界に誇る水上機王国であり、なかでも二座の水上偵察機が日華事変の際に戦闘機顔負けの活躍をみせたのが特筆されるが、これを発展させたのが零戦をベースに中島飛行機で開発された二式水上戦闘機である。主な任務は陸上飛行場が設けられない場所やその整備ができるまでの間に島嶼の防衛をつかさどるというもの。

ところがその装備部隊とも言うべき外戦の水上戦闘機隊の数は非常に少なく、昭和17年になっても第5航空隊（東港空から編成。のち452空と改称）や横浜空（のち801空と改称）、第14航空隊（のち802空と改称）、神川丸水戦隊があったに過ぎない。5空を除き、いずれも南東方面で活躍した水戦隊だが、昭和19年には縮小され、トラック島を基地とする902空（802空から水戦隊が削除されてここへ編入）と本書で紹介する934空があるだけだった。

ボーファイターとの戦い

934空（正式名称、第934海軍航空隊）の前身は昭和17年6月20日付けで新編成された第36航空隊で、同年11月1日付けの航空隊令の改訂とともに改称された。その任務はオーストラリア沿岸までのアラフラ海の索敵と対潜哨戒で、これに水戦隊が追加されたのは昭和18年2月28日のこと。横須賀空で編成を終えた934空水戦隊は特別運送艦「相良丸」に搭載され、3月18日にアンボンへ到着、4月に入りアル諸島のマイコール基地が完成するとここへ前進し、さっそく来襲する英豪空軍と対峙することとなる。

4月24日早朝、零式水偵1機とともにマイコール基地へ進出した今田敏男2飛曹と松永英徳2飛曹搭乗の二式水戦2機はその日のうちにマイコールに来襲した敵機と遭遇、翌25日早朝にはやはり3機で来襲して基地周辺在泊艦船を攻撃中していたボーファイターをこのふたりで邀撃し、1機を共同撃墜した。

4月26日には池田利晴中尉らがマイコールへ前進。同日中に市川貢上飛曹、余座治上飛、池田一夫上飛の3機でボーファイター1機の共同撃墜を記録している。

5月上旬に川崎進飛曹長、河口猛一飛曹長、猪鼻東雄2飛曹、入

第934航空隊水上戦闘機隊 第1陣

氏　名	階　級	出身期別	消　息	備　考
池田　利晴	中　尉	海兵67期	→	S19.1、厚木空へ
川崎　進	飛曹長	乙飛3期	→	S19.3、381空へ
河口　猛一	飛曹長	乙飛4期	S18.11.21戦死	
市川　貢	上飛曹	操練51期	S18.12.29負傷	S19.2、鹿島空へ
今田　敏男	二飛曹	乙飛10期	→	S19.3、381空へ
入尾　衛	二飛曹	甲飛6期	→	S19.2、鹿島空へ
松永　英徳	二飛曹	甲飛7期	→	S19.3、381空へ
猪鼻　東雄	二飛曹	甲飛7期	S18.08.23戦傷死	
大山　高臣	上飛兵	丙飛8期	→	（終戦時生存）
池田　一夫	上飛兵	丙飛8期	→	S19.2、鹿島空へ
余座　治	上飛兵	丙7/8期	S18.08.17戦死	
瀬戸　幸雄	上飛兵	丙飛8期	→	S19.2、鹿島空へ

※池田、瀬戸 両氏は昭和18年12月に転勤か？

◀昭和18年5月から8月にかけてマイコールで撮影された934空水戦隊の搭乗員。前列左から2人目：入尾衛2飛曹、右へ市川貢上飛曹、河口猛一飛曹長、今田敏男2飛曹。後列左から大山高臣上飛、猪鼻東雄2飛曹、池田一夫上飛、松永英徳2飛曹、余座治上飛。第2次世界大戦では世界にも珍しいゲタ履き水戦で果敢に戦った猛者たちだ。

尾衛1飛曹らがマイコール基地に進出してくると二式水戦による邀撃戦は活発化し、5月4日に市川上飛曹、猪鼻2飛曹、池田上飛、余座上飛の4機で来襲した2機のB-24のうち1機を共同撃墜し、7日には入尾2飛曹、大山上飛の2機で来襲したロッキードハドソン爆撃機5機のうち2機を撃墜するなど存在感を示し、6月上旬までの空襲は減少したという。

一方、5月26日には零式水偵2機とともに池田中尉の率いる2機の二式水戦がキーマム銃爆撃に、27日には同じくマッピー兵舎爆撃に向かう零式水偵1機に2機の二式水戦が随伴、29日には再びキーマム攻撃に向かう零式水偵3機に池田中尉の率いる二式水戦3機が随伴するなどの活動も行なわれた。これは5月10日のミリンギンビ攻撃で零式水偵がボーファイターと遭遇、翌11日に同地攻撃に向かった零式水偵が撃墜されたための措置であった。

6月に入ると、零観隊とともにマイコールの上空哨戒にあたる水戦隊の敵機との交戦機会は再び増え、3日には来襲した4機のB-24を二式水戦5機、零観3機で邀撃して撃退、翌4日にもボーファイター4機を撃退しただけでなく、12日には川崎飛曹長率いる二式水戦6機と零観2機がボーファイターを邀撃し、空戦で1機撃墜し、地上砲火でも1機撃墜を記録した。ただし、この日は水戦も大破1機、中破2機、零観の自爆1機、地上での二式水戦炎上1機、零式水偵の炎上1機を出したため、見張りを含む邀撃要領の改善が図られることとなった。

6月20日には零式水偵の索敵に直掩として随伴した河口猛一飛曹長が双発機1機の単独撃墜を記録した。河口飛曹長はかつて32空に所属して零観に搭乗していた昭和17年4月16日に、2機で複葉戦闘機1機の共同撃墜を記録した手練れであったが、この頃から徐々に空戦に頭角を現しはじめ、その様子は北出大太氏の著書『奇蹟の飛行艇』(潮書房光人社刊)にも活写されている。

6月22日にはその河口飛曹長率いる二式水戦5機が零観2機とともに敵機を邀撃し、B-24を1機、双発機1機の撃墜を記録。

その後、鳴りを潜めていた敵機の行動は7月になり活発化し、7月16日にマイコール基地へB-24や双発機などが爆撃に来襲して二式水戦3機と零観2機でこれを撃退したほか、7月24日には来襲した8機の双発爆撃機を河口飛曹長率いる4機の二式水戦と零観2機で邀撃し2機を撃墜するなど敢闘を見せる。

マイコールでの邀撃戦を比較的有利に展開できた理由のひとつは、単純にここが敵単発戦闘機の行動圏外であったため、B-24やボーファイターは単独強襲にならざるをえなかったためといえるが、8月10日には索敵の零式水偵に随伴した池田中尉の二式水戦がスピットファイア3機と交戦してよく1機を撃墜(ただし、零式水偵は撃墜されてしまった)した例もあった。

8月11日には河口飛曹長率いる二式水戦3機と零観3機が来襲したボーファイター6機を邀撃して、うち3機撃墜(内不確実2機)を報じたものの、この頃から934空水戦隊も苦戦を強いられ、8月17日のマイコール邀撃戦では来襲したボーファイター6機を二式水戦3機、零観2機で撃退した際に余座治上飛が自爆戦死。21日の邀撃戦でも河口飛曹長率いる二式水戦4機と零観2機がボーファイター6機を邀撃して撃墜4機を記録したが、我がほうも猪鼻東雄2飛曹が被弾して重傷を負い、23日に息を引き取った。

8月26日の邀撃戦では零観隊から転入の川久保志朗中尉が二式水戦に搭乗して箕形政通中尉らと3機で出撃、共同でボーファイター1機の撃墜を記録したのが特筆される。30日には箕形中尉率いる二式水戦4機、零観3機が6機のボーファイターを邀撃して撃墜1機、白煙を吐かせたもの1機という戦果を報じている。

9月17日には早朝に来襲した6機のボーファイターを零観1機と3機の二式水戦で邀撃し、5機を撃墜して1機を不時着させるという大戦果が上がったが、こうしたケースは稀で、9月21日のケースのようにB-24が9機も来襲すると1機も撃墜できずに撃退するだけで精一杯という状況。10月15日に3機のB-24が突如として来襲した際には川崎進飛曹長率いる4機の二式水戦が零観1機とともにこれを撃退している。

その後は空戦は起こらず、11月2日にはボーファイター6機と5機のB-25が来襲、これを河口飛曹長率いる二式水戦4機が邀撃した際にはボーファイター2機を撃墜(うち1機不確実)。

ところが、11月21日は激戦となり、まず第1波来襲(正午前後ではないか？)のボーファイター3機を二式水戦2機で邀撃して1機を共同撃墜し、2機を地上砲火で撃墜したが、久保正芳飛長が被弾して自爆。午後1時30分に来襲した第2波の双発機3機を河口飛

▶昭和18年12月頃、934空本部のあるアンボンで撮影された水戦隊と観測機隊の隊員たち。前列左から箕形政通中尉、池田利晴大尉、川久保志朗中尉、石田信二飛曹長。2列目左から市川貢上飛曹、今田敏男上飛曹、入尾衛上飛曹、松永英徳1飛曹、岡田幸夫1飛曹、池田一夫飛長。後列は観測機隊の隊員たち。

◀昭和19年1月になり934空へやってきた甲木清實1飛曹。水上機出身者としては多数機撃墜の経験者で、「強風」での戦果も記録した。

曹長率いる4機で撃退したものの、続いて午後2時40分に来襲した四発機を同じ4機で邀撃した際に1機に黒煙を、もう1機に火焔を吐かせて撃退した際に、河口飛曹長が自爆して散った。河口飛曹長は索敵の零式水偵の直掩のためこの日は朝の6時40分に発進して11時20分に帰着してからの2度にわたる邀撃参加であった。

この頃から452空や802空で活躍した水戦隊員たちが934空に続々と配属されて兵力も拡充、マノクワリに展開していた分遣隊もB-24などと空戦をするようになり、11月29日には川久保中尉率いる二式水戦2機が来襲した6機のB-24のうちの1機に有効弾を与えて撃退した。マイコール基地の撤収を12月3日に開始した934空は、水戦隊をマノクワリに集中して展開する。同地の防衛は陸軍の主務であったが、陸上飛行場完成まではこれを水戦隊が担当するという、水戦開発の当初の目的に沿った任務に付くためだ。12月29日には川久保中尉の率いる二式水戦4機が来襲した4機の四発重爆を邀撃、有効弾を与えてこれを撃退したが歴戦の市川上飛曹が負傷してしまった。

水上戦闘機「強風」の登場と水戦隊の終焉

昭和19年1月になると松村日出男中尉、藤森親海中尉、坪井庸三少尉(いずれも宿毛空水戦隊から)のほか、甲木清實1飛曹など新たな隊員たちが934空水戦隊に配属された(※)。

甲木一飛曹は緒戦期に水上機母艦「千歳」飛行機隊に所属して零観で果敢に空戦を展開、ガダルカナル攻防戦たけなわの昭和17年10月3日には水上機母艦「日進」の上空哨戒中に来襲したB-17に体当たりを敢行して撃墜、偵察員の宝田三千穂2飛曹とともに落下傘生還したエピソードの持ち主で、着任に際してシンガポールで新鋭水上戦闘機「強風」を受領、それに乗ってアンボンへやってきたという。その「強風」、934空行動調書で搭乗割の名前が空欄となっている1月16日のアンボンにおけるB-24邀撃戦で活躍、撃墜が記録された1機は甲木1飛曹の手によるものらしい。

なお、934空における「強風」の運用は以前から知られていたが、機体の様子のわかる写真は本書で掲載する阿部徹雄氏の撮影したものが初公開といえる。

翌17日には4機のB-24がマノクワリに来襲、池田大尉の率いる6機の二式水戦がこれを邀撃して3機に白煙を吐かせて遁走させ、19日にはアンボンで20機のB-24を7機の水戦(行動調書には「fsc」としか記述されていない)が邀撃して撃墜3機(うち不確実1機)を報じているが、横田定芳飛曹長が戦死。これらの戦果が「強風」によるものあればその速力、上昇力と火力とを遺憾なく発揮したこととなる。

その後は大規模な空戦は起きず、2月23日にクーパンへ派遣されていた兵力が零式水偵との索敵の際、2機のPBYと交戦して1機に白煙を吐かせた程度で水戦隊の行動も下火になるが、その背景には第23航空戦隊戦時日誌の2月22日の項に見られる次のような理由があった。

「GKF電令第238號
左記ニ依リ零式戰斗機飛行竝ニ整備講習ヲ實施ス
一、目的
934fg水戦関係員ニ対シ零戦ノ飛行竝ニ整備能力ヲ附與シ3月1日附機種更改ニ対スル準備ヲナスニ在リ
二、期日
第1期　2月24日ヨリ約10日間
第2期　右ニ引續キ約10日間(以下略)」

水上戦闘機に見切りをつけ、その人員の転科訓練がこの頃から始まったのだ。この頃、934空水戦隊には松村大尉以下、およそ15名の搭乗員がいたが、381空において零戦の操縦をマスター(基本的に離着陸以外は二式水戦と一緒だ)した彼らは、3月11日頃から続々と381空の搭乗割に加わっている。

阿部氏が取材した3月4日頃の934空は、ちょうどこの頃、各地へ派遣されていた水戦隊が順次アンボンへ引き上げてきた頃の様子を伝えるものである。

※1月1日付けで箕形中尉、川久保中尉は厚木空附に、1月20日付けで池田利晴大尉が厚木空附となり転出、戦闘機へ転科。

Chapter 2 : THE ZERO FIGHTERS IN SOUTHWESTERN PACIFIC

第2章

南西方面の零戦

零戦といえば海軍航空隊のみならず日本を代表する飛行機として有名だが、5月に阿部氏が取材に赴いた第381海軍航空隊の機体は一風変わった姿をしていたことでも知られている。それは戦域が陸海軍で入り乱れたための敵味方識別の目的だったという。ここでその姿をご覧にいれよう。

〔解説／吉野泰貴〕

While A6M, Type 0 Carrier Fighter is so famous that represents not only for the IJN Air Service but also for Japanese aviation, and those of 381th Naval Air Group covered by Mr. Abe in May were known for their unusual appearance. The purpose of the painting scheme is considered for friend or foe identification because there were various IJA and IJN fighters in the sector. Let us observe them in this chapter.

An A6M of 381st NAG returned from a sortie under the sky of sunset. In southwestern Pacific theater, some A6Ms with conspicuous scheme that was different from other theaters were seen. An impressive shot taking a palm tree into the composition.

◀夕焼け空の下、作戦行動を終えて帰投してきた381空の零戦。南西方面の戦場では他の戦域とは異なった独特な塗粧をまとった零戦が見られた。椰子の木を入れた構図も決まった1葉。

381空零戦二一型〔81-1183〕「報國 セラム第一號」

A6M2 "81-1183" of 381 NAG
"Houkoku Seram No.I"

▶昭和19年5月にエフマン島ソロン基地を訪れた阿部報道班員は第381海軍航空隊の零戦をファインダーに納める。写真はそのうちの1機〔81-1183〕号機で、主翼の日の丸部分から先と、垂直尾翼を明灰色で塗装しているのが目をひく。機体はアンテナ支柱上端を短くした中島製二一型最後期生産機（右奥の機体はアンテナ支柱が長い）。翼下には重爆攻撃用の3番3号爆弾を吊るしている。胴体に記入された「報國（セラム第一號）」が興味深いがこれは正規の献納機ではなく、現地組織の士気高揚のための演出のひとつと思われるスペシャルマーキング。

Mr. Abe, a reporter of Navy Reporting Group, visited Sorong Base, Jefman Island in May 1944 and photographed A6Ms of 381st NAG. This photo shows one of the A6Ms, "81-1183" with conspicuous light gray main wingtips and vertical stabilizer. The airframe is a Nakajima built A6M2 latest production with shortened antenna mast (Note the A6M2 in the right has longer mast). It carries 30 kg anti heavy bomber cluster bombs under wings. The description of "Houkoku (Seram No.1)" is interesting, but since this aircraft was not procured by public donation, the description is considered as the locally adopted special marking as a mean of morale booster.

81-1183
報國
セラム第一

もうもうと砂ぼこりを巻き上げて離陸点へタキシングしていく零戦。わかりづらいが画面中央部にもう1機続いている。この角度から見ると主翼に塗装された明灰色も読み取れる。381空には当時内地で編成されて同方面へ進出してきた戦闘第602飛行隊と、旧202空飛行隊を基幹としてケンダリーで編成された戦闘第311飛行隊があったが、装備機が二一型であることやこの明灰色からこれらの機体は後者のものと見るべきだろう。手前で見送る隊員たちの向こうに白く見えるのは風向きを現すT字板。

A6Ms taxing to takeoff point raising a cloud of dust. Though not clear in the dust, the second plane following is confirmed in the center. The light gray paints on both of main wings are visible from this angle. At this time, 381st NAG had two lower units, 602nd Fighter Squadron established in homeland and dispatched to this sector and 311th Fighter Squadron reorganized from 202nd NAG in Kendari. Considering the A6M is A6M2 and its light gray wingtips, it belonged to the latter. The white "T" shaped board seen across the groundcrew seeing off them in the foreground is the wind direction indicator.

▲離陸点で180度向きを変えた零戦は画面左方向から右へと離陸していった。写真は離陸していく「セラム第一號」と思われる零戦を捉えたもの。躍動する画面からは栄一二型エンジンの爆音が伝わってくるようだ。

The A6M made a 180 degree turn at the takeoff point and started takeoff toward the right. The A6M in this photo is considered as “Seram No.1”. The howl of Sakae Model 12 engine may be felt from this dynamic scene.

Reliable and robust Indonesian men are leveling the ground beside the runway with shovels. Beyond them are also the A6M2s of 381st NAG with light gray wingtips and vertical stabilizer. Though not clearly visible, some planes have a red or a yellow line under the aircraft numbers and the second plane from the left (81-1146) has light gray (or yellow or some light color) cowling lip to indicate leader (See also the photo on page 52). In the left background, there is a G4M across the runway.

◀心強いインドネシア人の屈強な男たちがシャベルを用いて滑走路脇を整地作業中といったところ。その奥にはやはり主翼端と垂直尾翼を明灰色に塗った381空の零戦二一型が駐機中。不鮮明だが、各機の機番号下の部分には赤や黄色で帯が加えられているようにも見え、左から2機目〔81-1146〕号機のカウリング前面は明灰色(あるいは黄色など)で塗装して長機標識としているようだ(P.52写真も併せて参照されたい)。画面左奥、滑走路をはさんで一式陸攻が駐機している。

◀▲「今日も敵影を見ず」。三号爆弾を懸吊したまま降着する零戦を捉えた連続写真。昭和19年も中盤にさしかかってはいたが、零戦二一型は補助機材としてではなく、主力機として第一線で戦い続けていた。左写真で右奥に駐機する零戦はエンジンを始動しているが、まわりにいる整備員の様子からこれから出撃するというよりも試運転中のようにも見える。

“Also today, no enemy aircraft was observed”. These are the successive photos showing an A6M landing with 30 kg bombs. Though it was almost the middle of 1944, A6M2s are still serving as the mainstay fighter in many front lines, not as secondary equipment. In the left photo, the A6M in the right is starting the engine, but relaxed groundcrew around it suggest it is just an engine test and not for a sortie.

▲飛行場上空を飛んでいく零戦たち。単機空戦の時代はすでに去り、日本海軍でも２機、２機の４機小隊方式を導入していたことの証左といえよう。

A6Ms flying over the airfield. As one-to-one air combat tactics became obsolete by this period, even the IJN fighter units have introduced four finger formation that consists of two pairs of fighters, as evidenced by this photo.

◀前ページまでと同じく381空の零戦を撮影したものだが、背景の緑がうっそうとしており別の基地であることがわかり、後方に陸軍の二式複座戦闘機『屠龍』と九七式重爆撃機が見えることから、陸海軍が同居したハルマヘラ島ワシレ飛行場ではないかと推定する。阿部氏は６月６日から４日間、ここを訪れている。

Though this is also an A6M of 381st NAG as previous pages, however, the denser jungle in the background suggests this is another base, and as a Ki-45 “Toryu” and a Ki-21 Heavy Bomber of IJA are seen, this base is conjectured as Wasile Airfield, Halmahera Island used by both IJA and IJN air units. Mr. Abe stayed there for 4 days from 6 June.

An A6M2 with two 30 kg bombs under wings taking a brief rest. As the left bomb shows clear silhouette, the profile of the bomb and the rack is well observed. Though not clearly visible, an inertia handle is inserted near the exhaust pipe under the cowling and the position can be compared with that of A6M2-N shown in chapter 1. The inertia handles were often left inserted like this. The G4M in the right has rather unusual coarse wavy edged dark green camouflage on the fuselage and the engine nacelles.

◀両翼下に三番三号爆弾を懸吊し、しばし翼を休める零戦二一型。左翼下でシルエット状になった様子から本爆弾の側面形や爆弾架の形状がよく観察できる。ややわかりづらいがカウリング下の排気管部分にクランク棒が差しこまれており、第1章で紹介した二式水戦との対比ができる。出撃待機中の機体は、このようにエナーシャ・ハンドルを刺しっぱなしにしている光景がよく見られた。画面右の一式陸攻は胴体やエンジンナセル部分の上面迷彩の塗り分けが大きな波形になっており、ちょっと珍しい。

A G4M is landing with full flaps down in front of the line of A6Ms of 381st NAG. The plane at the left end, with light gray (or white or yellow) cowling lip to increase visibility is considered as the one seen in the photo on page 44. The tropical scenery including towering clouds makes this photo like a piece of landscape painting.

▶381空の零戦が駐機するそばを、フラップをいっぱいに下げた一式陸攻が降着してくる。画面左端に見えている機体はP.44に掲載した写真にも写っている機体と思われ、カウリングの前面を明灰色（あるいは白か黄色など）で塗って目立つようにしているのがわかる。南海の空に湧き上がった雲の様子など、幻想的な1葉だ。

〔この見開き３枚〕
上空哨戒の任務を帯びた381空の零戦二一型４機が離陸点へとタキシングしてゆく。手前の機体の主翼前縁から明灰色と濃緑色と敵味方識別の黄橙色の塗り分け具合がよくわかる。地上にいる時点ですでに編隊の位置につき、そのまま離陸するやり方は海軍航空隊独自のものだった（陸軍では１機１機離陸するため時間がかかった）。遠くには対空監視とコントロールタワーを兼ねた櫓が建っており、南方の前線の雰囲気を伝えている。

(Three photos on these two pages)
The four A6Ms of 381st NAG assigned air patrol are taxing to takeoff point. The plane in the foreground clearly shows the main wing leading edges painted light gray, dark green and identification orange. IJN aircrafts practiced the unique manner of takeoff to band their formation already on the ground and took off keeping it (As IJA aircrafts took off separately and banded the formation in the air, took longer time). In the distance is the tower for air surveillance and control that creates the atmosphere of the tropical front line.

▲▼阿部氏が取材中に撮影した飛行する零戦の姿。下写真ではこんなに小さいのに翼下の三号爆弾が見えるのが興味深い。左の機体だけ増槽を付けているのは進出距離の違いだろうか？

An A6M photographed by Mr. Abe during the coverage. Interestingly, the photo below clearly shows small 30 kg bombs under the wings from this distance. The reason only left plane carries additional fuel tank may be it will fly longer range than the right?

An A6M under repair with damaged right wingtip by a minor collision. The aileron was already removed. Though the model identification is a bit tricky, the bulge on the wing seen just beyond the left groundcrew's thigh and the shape of aileron attachment hinge on the smashed wingtip certify this is A6M5 that was gradually increasing their number also in the southwestern Pacific theater. The skillful use of fuel drum for a footing was usually seen among Japanese groundcrew.

接触事故を起こしたためか、右翼端を破損した零戦を工作科の隊員たちが修理中。補助翼はすでに取り外されている。型式の判別が難しいが、左の整備員の右太腿の右に見える主翼下面のバルジやめくれ上がった翼端の補助翼取り付け部の形状から、ようやく南西方面でもその個体数を増やしはじめた五二型と判断できる。ドラム缶をうまく足場に使って作業する光景もまた、よく見られたものだった。

▲仮指揮所で報告を行なう戦闘機搭乗員。マフラーも巻いておらず、飛行帽も耳当てにウサギの毛皮が付いていない、南方仕様の服装といったところか。単座の戦闘機の場合は航法能力も限られ、首から掛けている図盤も写真に見られるような簡単なものだった。残念ながら被写体となった２名の氏名の特定はできなかった。遠方に見える一式陸攻は胴体が太くなった二二型であろうか？

Two fighter pilots reporting at the temporary command post. Note their tropical outfit with no scarf and the flying helmet ear covers without fur lining. Since the navigation capability of single seated fighter was limited, their map board hung on the neck of left pilot was also simple as seen here. Unfortunately, their names were not determined. The G4M in the distance may be G4M2 with thicker fuselage?

◀〔左ページ２枚〕
零戦の風防を丹念に磨く搭乗員。有視界戦闘が建前の当時にあっては敵機と見間違える塵ひとつ、一点の汚れも遅れを取ることとなるため、搭乗員たちは手あきの際に風防磨きなどの手入れに余念がなかった。機体の型式は防火壁の位置から二一型と断定でき、アンテナ支柱上端を短縮した後期生産型であるなど情報量も豊富であるほか、風防内の九八式射爆照準器一型の位置関係が参考になる。P.50の写真でもそうだが、熱帯地のせいかカウルフラップを全開にしたままであるのが興味深い。

(The two photos on the left page)
A pilot carefully wiping the windshield of an A6M. At the time visual surveillance was essential, since even a subtle stain that may be misidentified as an enemy aircraft would cause a fatal delay in air combats, the pilots off duty eagerly took care of their plane such as canopy cleaning. As this photo shows various details clearly, this plane is identified as A6M2 late production for the position of firewall and shortened antenna mast, and the position of Type 98 Gun/Bomb Sight in the windshield is also noticeable. As was seen in the photo on page 50, the cowling flaps left in full open position for the tropical high temperature are interesting

Taken at the different date and place, this photo shows a refueling scene of A6Ms probably at Wasile Airfield, Halmahera Island, about in June 1944. They are A6M5 of latest version (Manufactured by Nakajima. Also see page 64). Unlike A6Ms on previous pages, this plane has brown spinner and propeller blades and yellow warning stripes at each blade ends. The additional fuel tank under fuselage became the common type tank without fairing at the attaching point, also suggests the diffusion of the tank. The white rim of fuselage Hinomaru was carefully overpainted to show their serious situation.

▶こちらは撮影時期、場所ともに変わった昭和19年6月ころ、ハルマヘラ島ワシレと思われる飛行場で撮影された零戦の給油シーンで、被写体は新鋭の五二型(中島製。P.64写真参照)となっている。前ページまでの機体と異なり、この機はプロペラ、スピナーともに茶色に変更されており、先端のプロペラ警戒帯も黄色で記入されているのがわかる。胴体下に抱いた増槽も、装着部にフェアリングがない統一型増槽となっており、その普及状況もうかがえる。胴体の日の丸も白フチが丁寧に塗りつぶされていて、緊迫感が増した状況となっていることが伝わってくる。

▲前ページに連なる写真で、こちらは右主翼の燃料タンクの給油を行なっている。湧き上がる雲を背景に零戦の主脚を手前にレイアウトした、プロのカメラマンならではの構図といえよう。画面中央の燃料補給車はいすゞのTX-40型で、右のバンパーに星マークを付けており、陸軍の協力を受けていたことがわかる。これらの零戦は南西方面に展開する部隊ではなく、マリアナ諸島に展開して機動基地航空部隊として戦う第1航空艦隊麾下のもので、ビアク島など、にわかに風雲急を告げる西部ニューギニア方面への応援のため飛来したものだった。

A successive photo with previous page. The right wing fuel tank is being refueled in this photo. The composition taking the towering clouds in the background and the landing gears of A6M in the foreground into the scene is truly by the hand of professional cameraman. The fuel truck in the center is Isuzu TX-40, and the fact the license plate has IJA star crest shows they were supported by IJA unit. These A6Ms were not of the units deployed to southwestern Pacific, but those of under 1st Air Fleet flown to Mariana Islands as land-based air units to support west New Guinean sector such as Biak Island where the situation grew suddenly tense.

▲給油を終え、発進にかかろうとする零戦隊。手前の２機は中島製二一型で、カウリングに白い線を１本記入しているのがわかり、左端の機体は尾翼への機番号の記入法から「8」の部隊記号で知られる、第265海軍航空隊「狼」部隊の所属機と推測できる。向かうは西部ニューギニアか、ヤップを経由してサイパンへ帰るものか。

◀上写真の零戦の部分を拡大する。

The A6Ms starting for takeoff after refueling. The two planes in the foreground are A6M2 manufactured by Nakajima, and a thin white line on each cowling is visible, and the left plane is determined from the style of aircraft number as of 265th NAG “Wolf” Unit known for the unit number of “8”. They may fly to western New Guinean sector or return to Saipan via Yap Island.

One of successive photos from page 60 on and though this photo was taken earlier than them, we dare placed this at last for its rich information. The brown propeller blades and the spinners of the A6M2s in the foreground are contrastive with those of 381st NAG, suggesting more critical situations in other sectors. The 265th NAG counterattacked U.S. carrier task forces over Saipan, Mariana Islands but desperately outnumbered, they were destined to be annihilated by the Allied invasion of land army.

▶P.60から連なる写真で、時間軸としては前ページの写真の前がこれだが、情報量が多いためあえてここへ配置する。手前の零戦二一型がプロペラやスピナーを茶色に塗っているのが381空の機体とは対照的で、それだけ他の戦域の厳しさが伝わってくるというもの。マリアナ諸島サイパンでアメリカ空母機動部隊を迎え撃った265空は衆寡敵せず、地上軍の上陸により玉砕する運命にあった。

episode 2

精強を誇った第381海軍航空隊と合流した934空の水戦隊員たち

381空というと、豊橋基地から新鋭の零戦五二型で南方へ進出する際の写真や、バリクパパン製油所の防空で活躍した部隊として有名だ。ところが、本書に掲載した381空の機体は零戦二一型だし、ちょっと我々の知るものとは様子が違う。その理由とは？〔写真／伊沢保穂、潮書房光人社。文／吉野泰貴〕

381空の編成と進出遅延

第381海軍航空隊(略称、381空)は昭和18年10月1日付けで第23航空戦隊麾下の航空隊として新編成された、新鋭の局地戦闘機「雷電」を装備(定数:常用27機／補用9機)する乙戦闘機部隊であった。乙戦闘機とは局地戦闘機を現す通称で、甲戦は零戦などの艦上戦闘機、丙戦は夜間戦闘機を意味し、それぞれの装備部隊を甲戦隊、乙戦隊、丙戦隊などといった。

開戦以来、快進撃を続けた零戦であったが、こと四発重爆との戦闘は不得手とするところで、火力、上昇力に特化した「雷電」の戦力化は、戦闘機隊のみならず、海軍航空隊の悲願とするところであった。

381空の開隊と同時に千葉県の館山基地に同空飛行隊長として赴いた黒澤丈夫大尉は、「雷電」の操縦訓練を行なうためおよそ12名の搭乗員を引き連れて対岸の神奈川県追浜基地の横須賀空に向かった。出始めたばかりの新鋭機を装備する部隊の編成の手伝いや操縦訓練は、しばしば横須賀空に母屋を借りて行なわれるケースがある。

ところが、いまだ「雷電」は制式化されたばかりで生産ははかどらず、初期不良も充分に改善されてはいない状況。とくにプロペラ延長軸を設けた火星二五型の振動問題や、太い胴体からくる視界の不良のほか、離陸して主脚を納めると機首を下げ、上げ舵がとりづらくなる傾向があるというのが悩みの種であった。

それでも隊員の数もボツボツふえて25名程度となり、10月24日頃には横須賀空から館山へ帰り、操訓用の零戦10数機のほか「雷電」5〜6機を用いての訓練を開始。11月5日頃には愛知県豊橋基地に移動して訓練を続けたが、いよいよ「雷電」の供給は滞ることとなる。

そこで、昭和18年12月、零戦10機を先発隊としてバリクパパンに進出させることとなり、これは昭和19年1月1日に無事、同地への進出に成功して防空任務につくこととなった。

ところが、豊橋で訓練を続けていた本隊では、1月5日に射撃訓練中の3機の「雷電」のうち1機が空中分解して搭乗員が殉職するという事故に見舞われてしまう。セオリー通り、後上方に占位してから降下接敵し、射撃ののち引き起こすという機動によるもので、機体各部の強化が図られることとなるのだが、「雷電」の使用に見切りを付けた381空では零戦五二型を主装備としてただちに進出するよう方針を転換、2月14日の第2陣を皮切りに豊橋→大村→上海→高雄を経由して同月26日までに計23機の零戦で進出するにいたった。

それでも「雷電」の装備は全く諦めたわけではなく、同年9月頃には6機程度の「雷電」が381空本隊へとやってきたという。

▲381空は「雷電」を装備する部隊として編成されたが、新鋭機故の初期トラブルに悩まされ、編成状況はかんばしくなかった。写真は空技廠で実用実験中の一一型試作機。

第381航空隊 第1陣（1月1日進出）

氏名	階 級	期 別
神崎 国雄	大 尉	海兵68期
尾崎 貞雄	中 尉	予学7期
上平 啓州	飛曹長	甲飛1期
岩本 若松	飛曹長	甲飛1期
柴田 勉	上飛曹	乙飛9期
小川 照雄	一飛曹	乙飛13期
井上 尚	一飛曹	甲飛8期
塀本 等	飛兵長	丙飛10期
山口 秀一	飛兵長	丙飛10期
永田 房義	飛兵長	丙特11/12期

◀昭和18年12月に先発隊の零戦五二型を送り出した381空は、トラブル続きの「雷電」での進出を見合わせて、1月下旬に入り再び零戦五二型で南西方面へ向かった。写真は豊橋基地をタキシングする381空の零戦。これらは乙戦隊の基幹となり、新設された甲戦隊は零戦二一型装備で戦うこととなる。

もうひとつの381空零戦隊

こうして381空の進出が遅延するなか、2月10日付けで23航戦麾下の第202航空隊が22航戦へ転出し、381空は23航戦唯一の戦闘機部隊となった。ただし、その際に202空の定数はそれまで甲戦：常用63機／補用21機、丙戦：常用9機／補用3機であったところ、甲戦：常用36機／補用12機のみに縮小され、削減された甲戦：常用27機／補用9機、丙戦：常用9機／補用3機が381空へと増強されることになった。

つまり、ここに甲戦（202空の約半分）、乙戦（もともとの雷電隊）、ふたつの零戦隊が381空の麾下に設けられたことになる。そしてこれら各隊は3月1日付けでさらに甲戦：常用36機／補用12機、乙戦：常用36機／補用12機、丙戦：常用12機／補用6機へと増強された。甲戦隊の隊長は202空から編入されたまま梅村武士中尉が勤めていたが、3月9日付けで23航戦司令部附に転勤、後任には神崎国雄大尉（3月15日進級）が就くこととなった。

前章で紹介した934空の水戦隊員たちが零戦操縦・整備の講習を終えて続々と381空の搭乗割へ名を連ねるようになるのはこの3月にはいってからのことだ（なお、転科隊員のうち、一番最初に381空の搭乗割に名が現れるのが2月19日のクーパン上空哨戒に参加した石田信二飛曹長だが、これは934空の派遣隊で二式水戦）。松村日出夫大尉や藤森親海中尉、坪井庸三中尉、川崎進少尉ら水戦隊の幹部や長廻勝秋1飛曹、甲木清實1飛曹、浜谷行正1飛曹、飯島文明2飛曹、大橋光夫飛長、野瀬満飛長など、452空以来の水戦乗りたちも381空の搭乗割に名を連ねるようになる。

やがて、4月1日付けで381空の飛行機隊も特設飛行隊に編成されることとなり、それぞれ戦闘第311飛行隊（旧甲戦隊、飛行隊長：神崎国雄大尉）、戦闘第602飛行隊（旧乙戦隊：黒澤丈夫大尉）、戦闘第902飛行隊（丙戦隊）となった。同日付けで山内紳大尉が筑波空から戦闘311分隊長に発令されている。元水戦隊員の多くは戦闘311に配属。戦闘602へ配属された者も少数ながらいた。

興味深いのは松村大尉がこの時「月光」を装備する戦闘902の飛行隊長に発令されていることで、昭和20年4月末に内地に戦闘902が帰還（352空麾下部隊となる）してのち、戦闘309飛行隊（零戦隊）の隊長となる松村大尉は、二式水戦→零戦→月光→零戦と乗機を変える珍しい経験をすることとなる（零戦と月光を行き来するケースは非常に“まれ”）。

さて、じつは本書第2章で掲載した381空の零戦二一型群の写真は、旧202空零戦隊の流れを汲む381空甲戦隊／戦闘311の機体であり、その裏付けとして垂直尾翼、ならびに主翼の日の丸部分から外側を明灰色で塗装していることがあげられる。これは、前年の11月に、インドのカルカッタを攻撃するため陸軍航空部隊と共同で「龍一号作戦」が計画された際に、敵味方識別をより確実にするため追加された標識で、ほかに331空の零戦隊でも見られた措置である（海軍側の意向で作戦参加兵力は縮小され、結局202空は不参加となった）。

381空飛行機隊編制の変遷

	記事	編制・定数（常用／補用）		
S18.10.01	381空新編成	乙戦 27/9		
S19.01.01	零戦五二型 10機の第1陣進出	↓		
S19.02.10	甲戦、丙戦追加	乙戦 27/9	甲戦 27/9（202空より）	丙戦 9/3（202空より）
S19.03.10	定数変更	乙戦 36/12	甲戦 36/12	丙戦 12/6
S19.04.01	特設飛行隊制へ	戦闘602となる	戦闘311となる	戦闘902となる
S19.05.03	編制変更	↓	153空へ編入	↓

※昭和20年3月10日付けで「艦隊内限り」として仮称戦闘特第101飛行隊追加。4月下旬に戦闘602、戦闘902ともに内地へ帰還。戦闘602は解隊。

153空への編入とビアクでの激戦

5月3日、戦闘311は153空麾下へと所属が変更され、同日付けで神崎国雄大尉が転出（横須賀鎮守府附を経て横須賀空附となる）、飛行隊長には分隊長だった山内紳大尉（海兵69期）が昇格、兵力を二分して、山内大尉の率いる本隊はソロンに、分隊長の藤森大尉が率いる1隊は西部ニューギニアのビアクへ展開する。当時の兵力は零戦計22機（ほかに整備中1機）と153空戦時日誌に記録されている。なお、戦闘311の零戦は二一型である。

この5月5日から7日までの3日間、ビアク派遣隊は藤森大尉の指揮で邀撃戦を展開しているが、7日は激戦となって3機のP-40と4機のB-24の撃墜を記録したものの零戦も8機出撃したうち5機が自爆未帰還となり、1名が落下傘降下、ビアクの飛行場でも地上員が戦死・重傷を出して壊滅してしまう。8日現在の在ビアク兵力は搭乗員4名、零戦二一型「0」となった。なお、未帰還機のうちの1機は藤森大尉であったが、彼は落下傘降下ののち一昼夜泳いで9日に味方の大発に救助されたことが判明した。

ソロン隊は202空S603とともに船団直衛などの任務に従事していたが、ここからビアク島上空に進撃しての邀撃戦を展開、5月15日にはP-40を7機（うち3機不確実）、B-25を1機撃墜と報じた。未帰還となった2機のうち藤井義清一飛曹がやはり落下傘降下して30時間後に生還し、その報告から不確実2機が確実撃墜へ格上げされている。なお、5月25日にはマニラから零戦二一型12機がケンダリーへと到着した。

5月27日、突如としてビアク島に米軍が上陸してくると山内大尉ら2機で強行偵察を実施。途中、双発機1機、水偵1機を撃墜、双発機1機を撃破して偵察結果を持ち帰り、敵は戦艦3隻、巡洋艦2隻、駆逐艦13隻と輸送船およそ30隻の有力な上陸部隊であることが判明。同日1330、乙部健蔵1飛曹ら2機がすぐさま陸軍飛行第24戦隊の一式戦7機と共同でこの上陸船団の攻撃に向かい、敵戦闘機3機撃墜、上陸用舟艇3炎上、大型カヌー6撃沈の戦果を上げたが上新直秀2飛曹が未帰還となった。

5月28日に零戦10機でバボへ転進した戦闘311は29日に4機でビアク島周辺敵艦船攻撃を実施したが、指揮官の石田信二飛曹長以下全機が未帰還となってしまった。石田飛曹長は802空以来の水戦乗りであった。

5月29日に「渾」作戦が発動されると少数機でビアク島への奇襲攻撃を続行しつつ、バボでの邀撃戦を展開。30日には藤田菊政少尉ら3機がビアク島上空でB-25を2機撃墜したほか、6月1日にも同島上空でB-25を1機撃墜、1機に黒煙を吐かせたが、翌2日の零戦6機によるビアク島攻撃では指揮官の藤田少尉を含む3機が自爆・未帰還となり1機が被弾のため不時着、6月6日の邀撃で島芳市上飛曹が戦死するとバボの可動機は1機となってしまう。

一方、6月5日にケンダリーの本隊へ零戦8機が供給されると、7日には7機がバボへ増派されたが、消耗を避けるためにとケンダリーへ転進、14日に山内大尉直率で再び零戦8機（うち1機は途中空戦でB-25を2機撃墜して不時着。搭乗員無事、同乗の整備員は戦死）がソロンへ前進すると、16日には50機のP-38と40機のB-25を邀撃して、8機のP-38を撃墜（うち不確実1機）と記録されたが、3機が被弾して海上に不時着水、1機が未帰還となった。

6月17日、ケンダリーから零戦4機がソロンに進出したが、指示により翌18日にはワシレへ移動。ちょうどこの頃、マリアナ諸島では第1航空艦隊と第1機動艦隊がアメリカ空母機動部隊の猛攻と対峙していた。この応援のため、マリアナ沖海戦当日となった19日にはワシレからパラオのペリリュー島へ零戦10機が前進と記録されているがこの陣容は判然としない。その零戦は22日にヤップに前進したところで9機が失われ、戦局に寄与することはできなかった。

6月27日、零戦6機がケンダリーをたちミンダナオ島ダバオへ向かった。7月1日にはダバオよりパラオ本島アイライへ零戦15機が供給され、パラオでの哨戒任務に従事することしばし、敵機との交戦なく降着時に機材が失われるなど消耗し、8日には同じパラオのガドブスへ零戦8機が移動。

ここからトラック島へ進出して、南側からマリアナ決戦に協力する計画であったが、7月10日付で戦闘311の所属航空隊は153空から201空へと変更されることとなった。同日付けで新飛行隊長に戦闘351飛行隊長であった横山岳夫大尉（海兵67期）が発令、次席の山内紳大尉は分隊長となる。横山大尉も802空で水戦隊を率いた経験者で、いささか因縁めいたものを感じさせる。この時に、5月7日の空戦で落下傘降下生還した藤森大尉は横須賀鎮守府附（これは療養のための配置）を経て筑波空分隊長となり、昭和20年2月17日のアメリカ空母機動部隊艦上機との空戦で戦死する。

その後の戦闘311の戦いぶりは資料なく、追いかけることが困難だ。最後に、934空水戦隊から381空を経て零戦乗りとなって戦った隊員の消息を掲げ、その敢闘を偲びたい。

934空水戦隊からの転科搭乗員、その後の消息

氏　　名	階　級	期別	消息
松村日出夫	大　尉	海兵69期	→S902へ（終戦時生存）
藤森　親海	中　尉	海兵70期	→S311へ（S20.02.17戦死・筑波空）
坪井　庸三	中　尉	予学9期	→302空へ（S20.04.01戦死）
川崎　　進	少　尉	乙飛3期	→352空へ（S20.06.03戦死・S316）
石田　信二	飛曹長	甲飛1期	→S311へ（S19.05.29戦死）
長廻　勝秋	一飛曹	操練53期	→S311へ（終戦時生存）
甲木　清實	一飛曹	操練54期	→S602へ（終戦時生存）
今田　敏男	一飛曹	乙飛10期	→S602へ（S19.02.06戦死）
松永　英徳	一飛曹	甲飛7期	（終戦時生存）
岩見　健一	一飛曹	乙飛14期	→S311へ
鈴木　村夫	一飛曹	丙飛4期	→S311へ（終戦時生存）
浜谷　行正	一飛曹	丙飛7/8期	→S602へ（S19.08.17戦死）
乙部　健蔵	二飛曹	乙飛15期	→S311へ（S20.01.14戦死）
日野　平吉	二飛曹	乙飛15期	→S311へ（S19.05.29戦死）
飯島　文明	二飛曹	丙飛7期	→S311へ（S19.06.02戦死）
野瀬　　満	飛兵長	丙飛7/8期	→S311へ（S20.03.29戦死・203空）
沢田　　務	飛兵長	丙飛7/8期	→S311へ（S19.05.31戦死）
大橋　光夫	飛兵長	丙飛7/8期	→S311へ（S19.05.15戦死）
小澤　達夫	飛兵長	丙飛10期	→S311へ（S19.05.07戦死）
酒村　繁雄	飛兵長	丙飛11期	→S311へ（終戦時生存）
丸山　　章	飛兵長	丙飛11期	→S602へ（S19.10.13戦死）
中西　憲六	上飛兵	丙特11期	→S311へ（終戦時生存）

第3章

Chapter 3 : THE STRUGGLING OF 732ND NAG IN OPERATIONS Z1 AND KON

Z1作戦と渾作戦に苦闘する七三二空陸攻隊

Mr. Toshio Abe, a reporter of Navy Reporting Group visited intermittently Sorong, Jefman Island and Wasile, Halmahera Island for the coverage of 732nd NAG, a land-based bomber unit under 23rd Air Flotilla from the end of April to the beginning of June 1944. We will observe the dynamic scenes of land-based attacking aircrafts photographed in the front line under the equator. Comments by Nobuhiko Satou.

阿部徹雄報道班員は昭和19年4月末から6月上旬にかけ、断続的にエフマン島ソロン、ハルマヘラ島ワシレで第23航空戦隊麾下の陸攻部隊、732空の取材を行なった。赤道直下の最前線で撮影された躍動感溢れる陸攻の姿を追う。〔解説/佐藤暢彦〕

A G4M taxing the runway of Sorong Base, Jefman Island. And the palm trees beyond the plane, and the propeller of an A6M in the foreground. A fantastic composition by Mr. Abe showing his artistic taste.

▲エフマン島ソロンの基地で地上滑走する一式陸攻。その向うに椰子の林と手前に配された零戦のプロペラ。阿部報道班員の絵心が感じられる素晴らしい構図だ。

第732海軍航空隊の一式陸上攻撃機たち

The G4Ms of 732nd Naval Air Group

▶エンジンを起動し、地上滑走する一式陸攻一一型。一式陸攻は全長20m、翼弦25m、胴体の最大断面は前方から40%の部分で2m×2.5mの正楕円形というもので、日本軍の陸上機としては最大級の大きさであった。この写真は一式陸攻の葉巻型と呼ばれた形状をよく表している。またエンジンカウリング後方の排気管が初期の集合式のものと異なり、ロケット式の単排気管になっていることから、この機材が昭和十八年九月に生産された一一型としては後期のものであることがわかる。垂直尾翼の上端から、アンテナ支柱まで張られたアンテナ線まで見える鮮明な写真だ。

A G4M started the engines for ground rolling. G4M was one of the largest Japanese landplanes that was 20 m in length and 25 m in width, and had an oval fuselage of 2 m x 2.5 m at the 40% of the length from the nose. This photo clearly shows the cigar-shaped fuselage of G4M. And as this plane has individual exhaust pipes utilizing the exhaust thrust for propulsion instead of earlier collecting exhaust pipes, this plane is identified as the G4M1 of late production manufactured in September 1943. A clear photo showing the aerial wire extended from the top of vertical stabilizer to the antenna mast.

32-203

同じくソロン基地で地上滑走中の一式陸攻２機。それぞれ掩体壕から引き出され、搭乗員が乗り込み、離陸地点に向かうところだろうか。手前の機体は前ページのものと同一に思われる。この機体は全体的には塗装の剥離も少なく、比較的新しい機材と思われるが、エンジン周りの汚れ、剥離だけは激しい。滑油漏れやロケット排気の影響だろうか。

Also two G4Ms rolling the runway of Sorong Base. Probably they were brought out from shelters and heading for takeoff point after the boarding of crew. The plane in the foreground is considered as identical of the previous page. While this plane shows few wear of paints generally and seems to be relatively new, but only the nacelles suffer heavy stain and paint chipping. This might be result of oil leaks and exhaust blasts.

発進準備が整い、離陸地点に向かう一式陸攻。列機が後続する。ソロンには長さ1800m、幅120mの輾圧滑走路が1本しかなく、基地設備も夜間の航空用照明設備以外はほとんど揃っておらず、阿部報道班員が取材を行なったのと前後して、5月8日に第26特別根拠地隊の第202設営隊170名が基地の急速整備のためにソロン入りしている。

Being ready for taking off, the G4Ms are heading for the takeoff point. Note another G4M following. There was only one roller compacted runway of 1,800 m in length and 120 m in width in Sorong that had poor airfield facilities except night lighting, so about the same time with Mr. Abe's coverage, 170 men of 202nd Construction Group under 26th Special Occupation Force hastily arrived in Sorong on 8 May.

The runway only compacted by rolling machine would easily raise the sand dust when a G4M runs over it. An A6M2 of 311th FS under 381st NAG is seen behind it. The cowling lip of the A6M painted light color (light gray or yellow) may indicate the leader of a company or a flight.

▲輾圧しかされていない滑走路は、一度陸攻が滑走すると土埃を舞い上げた。後方には381空戦闘311の零戦21型が見える。零戦のカウリング前縁がいわゆるカウリングの塗色でなく、明るい色(明灰白色または黄色か)に塗られているのは、中隊長または小隊長を表すためのものか。

A G4M1 started rolling for takeoff at the takeoff point on the runway threshold. As this photo seems to be taken with wide-angle lens, the cigar-shaped fuselage of G4M appears considerably thinner. The fuselage tail gunner position with clipped glass fairing was the factory modification to increase the field of fire introduced from the middle of 1942. Also noticeable was the squared white rim of fuselage Hinomaru and this is considered as factory scheme applied from the end of 1942 until the spring of 1943. This was probably to improve friend or foe identification. The number on the vertical stabilizer "32-207" is considered to indicate 732 NAG 2nd Company's No.7. The A6Ms of 311th FS in line along the runway have vertical stabilizers painted light gray. This local scheme was done temporarily for friend or foe identification.

▶滑走路端の離陸地点でエンジンを発動して離陸に入ろうとする一式陸攻一一型。広角レンズで撮影されたもののようで、一式陸攻の特徴ある葉巻型の胴体がだいぶ細長く見える。また尾部の銃座が切り取られたような形になっているのは、射角を広げるために昭和十七年の後半から生産ラインで実施された。また胴体の日の丸が正方形の白地に描かれるようになったのも昭和十七年の末から十八年春ころまでのようで、生産ラインで行なわれたとされる。敵味方識別の効果を高める目的だったのだろうか。垂直尾翼の機番「32-207」は732空２分隊７号機を示すものと考えられる。滑走路脇に列線を敷く戦闘３１１の零戦は垂直尾翼を明灰白色に塗装している。これは敵味方識別のために現地で応急的に行なわれたもの。

32-207

ソロン基地でエンジンを起動する一式陸攻。これも広角レンズで撮影されたもののようだ。一式陸攻の特徴ある寸胴な機首がいささかスマートに見えるきらいがあるが、このようなローアングルから力強い構図で撮影するとは、報道班員ならではの技と脱帽せざるを得ない。機首の7.7㎜機銃、アンテナ支柱、ピトー管、操縦席の開閉式天蓋、車輪止め、ロケット式単排気管など、これほど鮮明に映った写真は珍しい。

A G4M starting engines at Sorong Base. This photo is also considered to be taken with wide-angle lens. While the effect of the lens transformed the distinguishing chubby nose of G4M rather slender, however, to arrange such a massive composition from a low angle is nothing but the experienced reporter's work that deserves amazing. Few photos show nose 7.7 mm machine gun, antenna mast, pitot tube, retractable cockpit canopy, chocks and exhaust pipes in this quality.

夜間攻撃隊の出撃
エフマン島基地

The Departure of Night Attackers
At The Base on Jefman Island

４月３０日から５月９日までソロンで取材活動を行なった阿部報道班員は、いったんソロンを離れ、ビアクで３８１空の取材を行なったあと、再び５月１５（１３？）日から１７日までソロンでの取材を行なった。前回の取材では哨戒・索敵以外、これといった出撃はなかったのだが、今回は違った。ホーランディアを占領した米軍に対する夜間攻撃が積極的に行なわれ、報道班員もその出撃する様子を取材した。写真は１３日、ソロンを夜間出撃する一式陸攻一一型。この日、植山利正大尉（海兵６６期）が指揮する７３２空の６機は、６０㎏爆弾各１０発を搭載、午後１１時２５分にソロンを離陸、ホーランディアを目指した。写真では爆弾の懸吊状態を確認する整備員や、翼下で積込む糧食のチェックを行なう搭乗員の姿が見え、翼端灯が妖しく輝いている。

After collecting materials in Sorong from 30 April to 9 May, Mr. Abe left Sorong to cover 381st NAG on Biak, and returned Sorong to continue his coverage from 15 (13?) to 17 May. During his previous coverage, there was no remarkable sortie except air surveillance or patrols, but this time was different. The night attacks against U.S. Army units which occupied Hollandia were actively repeated, and accordingly he covered these departures. This photo shows a G4M1 leaving Sorong for night attack on 13 May. On that night, six G4Ms of 732nd NAG led by LT Toshimasa Ueyama (IJN Academy 66th graduate) with ten 60 kg bombs each took off Sorong at 23:25 and headed for Hollandia. The photo shows the groundcrew checking the status of bombs and the aircrew checking onboard rations under the wing beside the wingtip light gleaming unearthly.

▲前ページの機体をもっと近くまで寄って撮った。ロケット排気管のカウルフラップの切込み、爆撃照準器の装着孔、信管の羽根まで見える60kg爆弾などが見事にバルブフラッシュに浮き上がった。特筆すべきは機首の脇に突き出た４本の針のようなアンテナ。電探と思われるが、従来発表された写真では確認されたことのない様式だ。日本海軍が使用した航空機用の電探はH-6と呼ばれる波長２mの索敵用電探で、機体両側、翼前縁に半波長素子を装着する形であったが、この写真からは翼前縁にはアンテナは見当たらない。一式陸攻に電探が常備されたのはＭ２と呼ばれた二二型以降なので、この電探搭載機は実験的に装備されたものだろうか。

The close up of the plane on previous page. The notches of cowling flaps for exhaust pipes, the opening for bomb sight, and the 60 kg bombs showing small propeller on fuze are clearly revealed in the light of flash bulb. Especially noticeable are four rod antennas sticking on the port side of the nose. While considered as a part of radar system, this type has not been confirmed in existing photos. The aerial on-board radar IJN used was the surveillance radar called H-6 with the wavelength of 2 m and had Yagi arrays on both sides of the fuselage and the leading edge of main wing, but no array is seen on the leading edge in this photo. As the introduction of on-board radar on G4M started from G4M2 called “M2”, so this might be an experimental radar.

The successive cut with page 81. The perfect discs of rotating propeller reflecting flash light are beautiful. No one but the experienced photographer can take such a photo.

P.81の写真に連続するカット。回転するプロペラのブレードがフラッシュの反射を受けて作り出す真円が美しい。報道班員ならではの写真だ。

The trails of wingtip lights of G4Ms photographed by long exposure. The geometrical patterns by them make us forget the existence of aircrew there facing their fates.

出撃する陸攻の翼端灯が映し出す光を長時間露光で撮る。描かれる幾何学的な模様は、そこに死と向かい会う搭乗員が乗っていることをふと忘れさせる。

▲阿部報道班員は昭和19年6月1日から6日までの7日間、ハルマヘラ島ワシレ基地に732空の取材に赴いた。前月27日、米軍はついにビアク島に上陸、ビアク奪還を目指す日本軍は「渾作戦」を5月29日に発動した。その航空支援として732空は31日、デゴスからワシレに進出した。写真はワシレの滑走路を地上滑走する732空の一式陸攻一一型。機番から第1中隊の所属機と推測される。

▶上の写真と一連のカット。ワシレはソロンに較べると基地施設は充実していた。写真にも戦闘指揮所と見張台が見える。後方の椰子林はソロンよりはるかに密で、樹木の高さも高い。燃料補給車も配備されており、整備員も作業し易かったことだろう。

Mr. Abe stayed Wasile Base, Halmahera Island to cover 732nd NAG for 7 days, from 1 to 7 June. On 27 of the previous month, U.S. Army units at last landed on Biak Island, and Japanese launched Operation "Kon" to recapture Biak on 29 May. 732nd NAG advanced from Digos to Wasile on 31 to execute the air support for the operation. This photo shows a G4M1 of 732nd NAG rolling the runway of Wasile. The number suggests it belongs to 1st Company.

A successive photo with above. Wasile had better facilities than Sorong. In this photo, a command post and a watch tower are seen. The palm tree jungle behind them is considerably denser than Sorong, and the height of trees is also taller. As fuel trucks were also available, the groundcrew had better working environment.

▲駐機する陸攻の向こう側、滑走路を２機の陸攻が離陸していく。ここワシレでも滑走路は輾圧。732空は600カイリ離れたビアク島やビアク直近のオウイ島の飛行場を夜間爆撃しており、もしその攻撃部隊であれば夕刻午後６時前後の光景かもしれない。

Two G4Ms are taking off beyond another G4M parking. The runway of Wasile was also compacted only by roller. As 732nd NAG carried out night bombing on the airfields of Biak or Owi, the nearby Island of Biak, both 600 NM away from Wasile and if they were the relevant attackers, this scene would be about 6 o'clock at dusk.

▲離陸した陸攻が高度を取っていく。真下から見た一式陸攻の機影は珍しい。一一型は爆弾倉に開閉式の弾扉が装備されておらず、爆装または雷装をしたときは搭載兵器が下から見えた。この写真では残念ながら何が装備されているのかはわからない。椰子の葉との構図が報道班員のセンスを感じさせる。

A G4M gaining altitude after the takeoff. The perfect bottom view of G4M was rarely photographed. As G4M1 had no retractable bomb bay doors, the loaded bombs or torpedo could be seen from the downside. Unfortunately, the weapon is not visible in this photo. The composition with the fronds of palm tree shows the photographer's sense of beauty.

◀上の写真と一連のカットだが、この一一型はカウリング上に見える排気管から、消炎装置付の集合排気管を装備したいささか古い機体であることがわかる。

Another cut like above, and the collecting exhaust pipes with flame damper on each cowling indicate this G4M1 is a relatively old airframe.

32-207

32-311

〔この見開き３枚〕
ハルマヘラ島ワシレ基地から離陸する一式陸攻３葉。P.88上段が732空２分隊７番機、下段が３中隊１１番機、本ページ上が３中隊４番機。本来、海軍機の機番は「部隊記号・機種番号・機体番号」という並びになるのが正しい。つまり陸攻であれば、「(7) 32（航空隊の部隊番号）－３（攻撃機を表す機種番号）××（機体番号）」になる筈なのだが、732空は当初錬成航空隊であったことから、機種番号の代わりに中隊番号を記入していたのではなかろうか。また機番の文字も「3」が平仮名の「ろ」や、「0」が片仮名の「ロ」に見える少し特殊な描き方である。一般的には機番は部隊毎に整備分隊の工作班の隊員が、板金をカットしてステンシル用のボードを作り、それを吹付け塗装していた。732空では工作班員がそのような特徴のあるステンシルを描いたのではなかろうか。
機体はいずれも一一型だが、微妙に違いがあるのが面白い。〔32-207〕と〔32-311〕はいずれも尾部の銃座がカットされたような後期のタイプで、〔-207〕は集合排気管に夜間の消炎用のカバーが付けられており、日の丸が矩形の中に描かれている。上写真の〔32-304〕はロケット排気管であることと、尾部の銃座が二二型などと同じ形状になっており、18年11月以降の一一型の最終生産タイプと推定される。

(Three photos in these two pages)
Three images of G4M taking off from Wasile Base, Halmahera Island. On page 88, the above is 732nd NAG 2nd Company's No.7, the bottom is 3rd Company's No.11 and the above on this page is 3rd Company's No.4. The order provided in official IJN aircraft code system was "Unit code / Aircraft Category No. / Aircraft No.". So in case of these G4Ms, it should be "(7) 32 (No. of Air Group) – 3 (Category No. for Land-based Bomber) XX (Aircraft No.), but since 732nd NAG was initially a training unit, they might use Company No. instead of Category No. And the style of the numbers is also a bit unusual that the "3" has rectilinear upper part and the "0" looks like a rectangle. The number of IJN aircrafts was usually spray-painted using metal stenciling board manufactured by the member of Engineer Team under Maintenance Division of each air units. These characteristics of number may be the result of their works by that of 732nd NAG.
All of these three G4Ms are G4M1, but some subtle differences are seen among them interestingly. Both of "32-207" and "32-311" are late model with clipped tail gunner position, and "-207" has collecting exhaust pipes with flame damper for night sorties and squared white rim on fuselage Hinomaru. And since "32-304" in above photo has individual exhaust pipes and the tail gunner position identical with G4M2, it is conjectured as the last production model of G4M1 produced from November 1943 on.

732空の一式陸攻二二型〔G4M2〕

The G4M2s of 732nd NAG

阿部報道班員が撮影した写真の中に、ハルマヘラ島ワシレで撮影された一式陸攻二二型の写真が２枚だけ残されている。それがこの見開きページの２葉だ。写真の機体は垂直尾翼に機番が記入されているようだが、残念ながら読み取ることはできない。またエンジンや操縦席周りの塗装の剥離も激しい。Ｍ２と呼ばれた二二型はエンジンの出力向上に伴い、武装強化と航続距離の延伸を目指して昭和１６年秋に三菱に対して改修設計が命じられたが、途中での武装強化や仕様変更などで改修が遅れ、実戦に参加したのは昭和１９年に入ってからだった。この写真でもＭ２の特色とされる拡大された機首の風防、機首と後部胴体側面に装備されたＨ-６レーダー、背面の２０㎜動力銃座などがよくわかる。

Among the photos by Mr. Abe, there are only two images that subjected G4M2 taken in Wasile, Halmahera Island. The two photos shown on these pages. The plane in the photo above has its aircraft number on the vertical stabilizer, but unfortunately not visible. And the heavy chippings around cowlings and cockpit area are also noticeable. As more powerful engines became available, the development of G4M2 (sometimes called simply M2) was ordered to Mitsubishi in autumn of 1941 to improve armament and range, but as additional changes on armament and other requirement delayed the modification, their combat debut started in 1944 at last. This photo shows the characteristics of G4M2 clearly such as enlarged glass area in nose, the Yagi arrays of H-6 radar on nose and rear fuselage sides, and the powered dorsal turret with a 20 mm gun.

This shot shows the groundcrew waving their caps to see off a G4M2 rolling runway for takeoff. An interesting composition photographed by Mr. Abe from considerably high position. The G4M2 has no aircraft number on vertical stabilizer yet, and its flawless paint also indicates this is a brand new equipment. At this point of time, in addition to 732nd NAG, 753rd and 761st NAGs were also based in Wasile, so the unit of this G4M2 is hard to determine.

▲こちらは滑走路を離陸する二二型を地上員が帽振れで見送る構図。報道班員はかなり高い所から撮っている様子で、興味深いアングルだ。この二二型は垂直尾翼にまだ機番が記入されておらず、機体の塗装の様子からも新機材であることが推測される。この時期、ワシレには732空の他に、753空、761空も進駐しており、この機体がどの部隊のものかは判断しにくい。

月光と二式複戦「屠龍」陸海軍双発戦闘機の共演

J1N Gekko and Ki-45 Toryu

▶このワシレ基地は海軍と陸軍が共同使用した珍しい基地である。写真は陸海軍双発機集合といった図。一番奥にはプロペラを外し整備中の一式陸攻一一型が、その手前には夜間戦闘機『月光』がエンジンを起動し、一番前には陸軍の飛行第１３戦隊所属と思われる二式複座戦闘機『屠龍』が駐機している

The Wasile Base was a unique base shared by IJN and IJA. This photo shows various twin-engine aircrafts of IJA and IJN. In the background is a G4M1 under maintenance with one propeller removed, and in front of it is a J1N “Gekko” night fighter starting the engines, and parking in the foreground is a Ki-45 “Toryu” considered as of IJA 13th Air Combat Group.

A valiant scene of a J1N "Gekko" night fighter starting the engines. As there is a note of "Kendari" on Mr. Abe's negative film, the plane is conjectured as of 381st NAG in Kendari. The details on the nose such as the pitot tube and the isolator of aerial wire attached to the pitot tube are clearly visible.

▶エンジンを起動させる力強い構図の夜間戦闘機『月光』。阿部報道班員のネガには「ケンダリー」という記述が残されており、ケンダリーの381空（昭和19年2月10日付けで202空から編入された丙戦隊）の機材と推測される。ピトー管や、ピトー管に接続された無線用のアンテナ線の碍子など、機首部分の詳細が判る珍しいカット。

A dynamic shot of a "Gekko" night fighter in takeoff.

離陸する夜間戦闘機月光。躍動感あるショットだ。

A KI-46 reconnaissance plane returned the base in the evening sun. This photo is considered taken in Sorong. Since 23rd Air Flotilla had two Ki-46s, this aircraft might be used by IJN.

百式司令部偵察機が夕日を受けて基地に帰還した。ソロンでの写真と思われる。新司偵は23航戦でも153空が2機を所有しており、この写真の機体も海軍が使用していたものかもしれない。

陸鷲と共闘

The Cooperation with Army Eagles

▲阿部報道班員は海軍の従軍記者としてワシレに赴いたが、そこには陸軍機の姿もあり、見事な写真がカメラに納められた。一式陸攻がタキシングする中、列線に並ぶ陸軍飛行第33戦隊の一式戦闘機『隼』が起動車によって、エンジンを起動する。一式陸攻はセルモーターが装備されていたが、隼などの陸軍機は機体軽量化のため、セルモーターは搭載しなかった。

While Mr. Abe visited Wasile as a naval correspondent, since there were also many IJA aircrafts, thus this marvelous photo was taken. In front of the G4Ms taxing the runway, the Ki-43 “Hayabusa” fighters of 33rd Air Combat Group in line are starting the engines with starter trucks. While G4M had built-in engine starters, IJN fighters such as Ki-43 had no starter for weight reduction.

▲ワシレの基地で陸軍兵が基地拡張のため、椰子の木を伐採する。総じて日本の基地設営能力は低く、ツルハシとモッコによる基地設営が南洋の島でも繰り広げられた。

The IJA soldiers felling palm trees to enlarge Wasile Base. Generally, the construction capability of Japanese engineering units was low, and they repeated the construction work using picks and straw-baskets in southern Pacific islands.

ミンダナオ島デゴス基地
九六式陸上攻撃機

The G3Ms of Digos Base, Mindanao Island

When Mr. Abe visited Digos, Mindanao Island, it was just an operational base in the rear area unlike with Sorong, Wasile or Kendari. After suffering losses in Wasile, the headquarters of 732nd NAG retreated to Digos for recovery on 7 June and Mr. Abe also moved to Digos with them. In Digos, the G3Ms of 2nd Kanoya Naval Air Group were deployed for the rear support of Operation Kon and the coming Operation A-Go. The 2nd Kanoya NAG was initially established as a training air unit under Sasebo Naval District on 1 February 1944. All of G3Ms in this photo are G3M3, and the diagonal line, the vertical line or the pair of vertical lines on their vertical stabilizers are conjectured for Company identification.

阿部報道班員が取材で訪れた頃は、ミンダナオ島デゴスはソロン、ワシレ、ケンダリーなどに対し、後方の策源地といった佇まいだった。ワシレで戦力を損耗した732空本部は6月7日にデゴスに後退し、機材の補充にあたったが、阿部報道班員も一緒にデゴスに移動した。デゴスには渾作戦、そしてこの後予想されるあ号作戦に対する後方支援として、第二鹿屋空の九六陸攻が進出していた。第二鹿屋空は昭和19年2月1日、佐世保鎮守府隷下の練習航空隊として開隊した。写真はいずれも九六陸攻二三型で、垂直尾翼に描かれた斜線、縦線、縦二本線などによって、中隊を表示していると推測される。

▲前ページと同じく、デゴスで列線を敷く第二鹿屋空の５機の九六陸攻。九六陸攻は前年には中島飛行機での転換生産も終了しており、さすがに実戦部隊で装備しているところは無く、練習航空隊や輸送機部隊、海上護衛総隊などで使用されていた。
▼この九六陸攻の写真はどこで撮影されたものか記載がない。後方の椰子林などの様子からソロンに要務飛行で来た機材か。中島で生産された最終生産型の23型は、エンジンカウリング上面の空気取り入れ口や、プロペラのスピナーが三菱製に比べて大きいとされる。

Another scene of five G3Ms of 2nd Kanoya NAG in line in Digos. As the production of G3M by Nakajima was already finished in the previous year, no front unit used G3M at this point of time except training units, transportation units and Maritime Escorting Flotilla.

This photo of a G3M has no notion on location. Judging from the palm tree jungle behind it, it may be a staff duty aircraft visiting Sorong. The last production model G3M3 manufactured by Nakajima is considered to have larger air inlets on each cowling top and spinners than Mitsubishi products.

episode 3

“荒修業道場”第732海軍航空隊と南西方面作戦

阿部報道班員は４月末から６月上旬にかけて、エフマン島ソロン、ハルマヘラ島ワシレと第732海軍航空隊の行動に従軍、貴重な記録を残している。阿部報道班員が訪れた時期の南西方面はどういう状況だったのか、その中で孤軍奮闘した732空はどのように闘い、終焉を迎えたのか。〔写真(特記のないもの)・文／佐藤暢彦〕

「荒修業道場」の道場開き

第732海軍航空隊(以下、732空と略記)は昭和18年10月1日、呉鎮守府所管の特設航空隊として豊橋基地で編成された。開隊当時は南西方面艦隊所属の第十三航空艦隊に附属する部隊で、定数は陸攻36機だった。司令は三代辰吉中佐(海兵51期)で、飛行隊長は尾碕武夫少佐(海兵58期)。部隊は第十三航空艦隊司令長官指揮の第三基地航空部隊錬成航空隊として、豊橋基地で開隊した後、マレー半島ペナンの対岸にあるアエルタワル基地で錬成を行なうこととし、10月下旬、先発隊は海路、シンガポールに向かった。

昭和18年10月16日、幌筵基地から千歳基地に引き上げてきた八十川定雄上飛曹(乙種飛行予科練習生8期出身)は、休む間もなく豊橋の732空に転勤を命じられた。上飛曹は752空の陸攻電信員としてアッツ島海戦に参加したばかりだった。豊橋に着任してみると、ほとんどが飛練を卒業したばかりの新米ばかり、12月にはマレー方面に転進すると告げられ、北方から帰ってきてみれば今度は南方かと、内心がっかりした。

12月1日、隊本部と飛行科は豊橋基地からシンガポールへと空路向かうことになった。この時、尾碕少佐は飛行長へと昇格、飛行隊長には分隊長兼任で植山利正大尉(海兵66期)が昇進した。しかし若年の搭乗員が多いため、シンガポール進出に当たっては、鹿屋、マニラ、サイゴンと小刻みに離着陸を繰り返し、途中で天候にも祟られ、全機が無事アエルタワルに進出したのは12月12日のことだった。

八十川上飛曹の回想によれば、アエルタワルに到着後しばらくは、マラリアやデング熱が猖獗を極め、きちんとした訓練に入れたのは年が明けてからだったという。ここに昭和19年の元旦に搭乗員総員で撮影された部隊写真がある。写真端には「荒修業道場」という看板が掲げられており、中央にはヘルメット姿の三代司令が、その右には尾碕飛行長、左には植山飛行隊長の姿が見える。

第十三航空艦隊が732空にアエルタワルでの錬成を命じたのは訳がある。燃料が豊富にあったからだ。すでに内地では航空燃料が払底しつつあり、訓練のために大量に貴重な航空燃料を使うことは難しい。さりとて蘭印方面にある燃料は米潜水艦の跳梁により、簡単に内地に運んでくることができない。ならば訓練部隊そのものを燃料が豊富にある蘭印近くに行かせればいいという判断だった。

▲昭和19年の元旦、マレー半島アエルタワルで撮影された732空の飛行科総員。中央に陣取る三代司令以下143名の顔が並び、左端には「荒修業道場」という看板も見える。しかしこの人数では定数36機を動かすことは無理で、せいぜい3個分隊、27機分の搭乗員であろう。

▶元旦の記念撮影で２列目中央に座る防暑服を着たのが三代辰吉司令。その右は尾碕飛行長。司令の左が植山飛行隊長。

毒蛇やサソリとの闘い？

燃料は豊富にあった。飛練を終えたばかりで732空に配属になった甲飛9期生の記憶では、ひと月に100時間は飛行時間が稼げたという。一般的に陸攻は操縦、偵察、電信ともメインとサブが乗り、それに搭整の7人、作戦によってはさらに偵察が乗るといった構成だったが、732空では陸攻に乗る搭乗員の数は5人。操縦、偵察、電信、搭整、攻撃という職掌だ。搭乗員の不足が問題となりつつあったこの時期、サブの搭乗を止め、メインだけの5人で一式陸攻を動かすこととなった。これは732空に3か月先んじて編成された761空(龍部隊)でも同じ措置が採られていた。

訓練は定着から始まり、編隊飛行、高高度飛行、航法通信、爆撃、雷撃へと進んだ。対岸のペナンはドイツの潜水艦隊の基地でもある軍港で、ここに入港する日本の駆逐艦を目標に見立てて雷撃訓練が行なわれた。

酷寒の千島、幌筵で活動していた八十川上飛曹はとにかくこの地の暑さに辟易すると同時に、基地周辺に蝟集する毒蛇やサソリに悩まされた。ある夜、機内に忘れ物をして飛行機のところまで行ったところ、主車輪のところに大きな蛇がとぐろを巻いており、肝を冷やしたという。また朝起きて飛行靴を履くときは、必ず逆さにして中にサソリが入っていないか確認するという有様であったという。

蛇やサソリの危険は可愛いもので、本当の危険が迫りつつあった。昭和19年2月17日、連合艦隊泊地トラック島が米軍の大空襲を受け、所在の航空部隊はほぼ壊滅してしまう。それまで南西方面に展開していた陸攻部隊・705空は急遽内南洋への転出が決まり、732空は第三基地航空部隊第八空襲部隊に編入され、錬成を中止、実戦に参加することになる。八十川上飛曹の記憶では、訓練の総仕上げとして3月2日、ジャワ島のチリリタン基地に進出し、スラバヤ沖で味方艦艇を使って夜間も含む雷撃訓練を実施した。訓練は厳しいものだったが、最後に外出が許され、八十川上飛曹はスラバヤの町を訪れた。スラバヤは対日感情もよく、物資も豊富にあり、当時衣料切符なしには購入できなかった白い晒なども自由に買うことができた。ビールや砂糖も豊富、束の間の休息を楽しんだ隊員たちは、アエルタワルへと引き上げた。

アエルタワルに戻った直後の3月31日、前日内南洋のパラオが米軍の空襲を受けたことに伴い、部隊は南西方面艦隊司令長官の命によりフィリピンのダバオへと転進した。この時点で732空の実働兵力は約20機だった。

Ｚ１作戦の発動

しかし米軍の来攻は4月20日以降と判断が訂正され、732空は原隊のアエルタワルに帰還した。ところが今度は米機動部隊がトラック島東方で発見されたとの偵察情報で、改めて再度ミンダナオ島デゴスに進出命令が下る。4月12日には司令直卒の18機がデゴスに進出した。この時期、日本軍はあやふやな偵察情報に振り回されることになる。

ところが当初予想されていた通り、4月20日に米軍はニューギニア北岸のホーランディア、ウエワクを襲い、上陸を窺うに至った。ここに及んで、南西方面艦隊司令長官はニューギニア北岸に対する米軍進攻に対する作戦、「Ｚ１作戦」発動を下令した。同時に732空は23航空戦隊が指揮する第三基地航空部隊第三空襲部隊に編入され、エフマン島ソロンへの進出を下令、22日に進出した。

第三空襲部隊には第一航空艦隊下の761空、755空も編入され、761空の指揮官・梅田成年大尉(海兵68期)の名を取り、梅田部隊と称して23日、ソロンに進出、732空の指揮下で戦うこととなった。

梅田部隊が進出したその日、732空は佐藤良策大尉(海兵69期)が自隊の12機に進出したばかりの梅田部隊から5機を抽出、計17機でホーランディア沖の敵機動部隊攻撃に向かった。午後4時にソロンを出撃した攻撃部隊は、午後7時に戦場に到達したが、1時

▼八十川定雄上飛曹は乙飛8期出身のベテラン電信員。第6期特修科練習生を経て、17年6月マーシャル方面に展開していた1空に配属された。写真は幌筵基地で二飛曹時代。

▲黒川浅吉中尉は操練出身。支那事変冒頭の渡洋爆撃にも参加した古参搭乗員だった。

間にわたり付近を捜索したものの敵を発見することができず、バラバラになってビアクとソロンに帰投、1機が行方不明となった。八十川上飛曹も2中隊1小隊1番機の電信員で参加したが、為すことなく帰還した。

翌24日も上飛曹に出撃の命が下った。この日の指揮官は黒川浅吉特務中尉。中尉は支那事変の渡洋爆撃にも参加したベテランの操縦士だ。黒川中尉が自隊の4機と梅田部隊の7機、計11機を率いて再度ホーランディア沖の敵機動部隊攻撃に向かう。この日は八十川上飛曹は指揮官機の主電信員配置だった。指揮官機にはサブの操縦員と、攻撃員(機銃手)を含む3人の電信員が搭乗、計7名のペアとなったが、他の3機は5名のペアだった。

午後3時10分、ソロンを離陸。攻撃部隊は上空で梅田部隊と編隊を組み、600カイリ離れたホーランディア沖を目指す。すでに2機の索敵機が先行している。午後7時に会敵予想地点に到達する

◀19年5月13日、ソロンからホーランディア夜間爆撃に向かう732空搭乗員。救命胴衣を着て、横顔で手元を覗き込んでいるのが植山飛行隊長と思われる。出撃に当たり、時計整合をしているところか。
撮影／阿部徹雄

◀ワシレ基地、椰子林の下で食事を摂る搭乗員。自らも飛行機屋を自認する三代司令は、一度飛び立ったら帰って来ないかもしれない搭乗員の給養については、できる限りのことをしろと主計に厳しく言いつけていたという。最前線の基地ではあるものの、主食皿には飯が大盛りにされている。
撮影／阿部徹雄

も、昨日同様、敵を発見できない。7時半に触接機が放った吊光弾が眩い光を放つと同時に、側方から対空射撃を受け、航行中の巡洋艦を発見、8時前後にこの目標に対して無照明雷撃を実施したものの、効果は不明。その後も付近を捜索するが、敵を発見できずに帰途に就いた。八十川上飛曹の乗る指揮官機がソロンに到着したのは日付が変わった25日の0時45分だった。この攻撃では732空の1機が行方不明、1機が不時着、梅田部隊はバラバラとなって不時着するものが続出、全体としては8機の機材が失われるという大損害を出した。

27日に再び雷撃命令が下り、732空の植山利正大尉の指揮する5機は梅田部隊の4機と合同、ソロンからビアク基地を経由し、ホーランディア沖を目指した。この日、八十川上飛曹は出撃の搭乗割から外れた。攻撃部隊は夜10時前にホーランディア180度40カイリの地点で、スコールの中に停泊している輸送船団約20隻を発見、10時2分照明隊の吊光弾投下と同時に雷撃隊が突入した。結果、軽巡1、輸送船1撃沈を報じ、攻撃隊は午前2時前にビアクに帰投したが、732空の2機と梅田部隊の2機が失われた。

これ以降はソロンが空襲され、攻撃部隊の編成が困難になったこと、ホーランディアからの連絡も途絶したため、梅田部隊は原隊復帰を命じられ「Z1作戦」も「発令」から「用意」の段階に格下げされた。

阿部報道班員、ソロンへ

阿部報道班員がソロンの地を踏んだのは761空がダバオに去ったのと入れ替わりであった。毎日新聞の写真部員であった阿部徹雄氏は海軍報道班員の委嘱を受け、第四南遣艦隊の従軍報道を行なうため、この年の1月、ペナンの艦隊本部に着任した。アンボン、ケンダリー、セラムなど戦争とは無縁に思われる平和な町の取材を行なっていた阿部班員は、ニューギニア方面の戦況悪化に伴い、23航戦隊司令部に同行、航空戦の様子を取材することになった。阿部班員が最初にソロンにいた時期は、Z1作戦が敗北裡に終わり、次の作戦まで戦力の整備・調整が行なわれている期間で、5月9日まで滞在し、一式陸攻の美しく、力強い姿をカメラに納めた。

5月10日からビアクで381空・零戦部隊の取材をしていた阿部班員が、ソロンに戻ってきたのは13日のこと。植山利正大尉が6機を率いてホーランディアの夜間爆撃に出撃する、その様子を班員はカメラに納めた。わずか4日前とはまったく違う緊張した雰囲気に、戦場に来たのだという思いを強くした。しかし夜間爆撃は3回で終了し、阿部班員は原稿をまとめるためにアンボンに戻った。

「渾作戦」の発動

アンボンで写真と原稿の整理をしていた阿部班員に米軍のビアク上陸に伴う渾作戦の発令が告げられたのは5月末。阿部班員は取るものも取り合えず、最前線のワシレに急行した。班員のノートには「6月1日—6日。732空の作戦はげしきにより、このワシレ基地に取材同行す」とある。初めてワシレを訪れた班員は、ソロンで夜間出撃の様子を取材した植山大尉が5月28日の夜間雷撃で戦死したことを知り、落胆すると同時に、ワシレがソロンよりはるかに基地機能が充実していることに驚いた。

ソロンはビアクと指呼の距離のため空襲も激しく、指揮所も椰子林の中の天幕だったが、ワシレは木造の立派な指揮所も見張り台もある。椰子の木の下で食事をしている搭乗員の皿を見ると、副食も決して悪くない。何とか搭乗員に美味いものを食べさせてやろうという主計士官の苦労がしのばれた。また下士官兵が集まって銀紙を切っているのを見つけ、何かと訊ねると「電波妨害片」だという。日本硬化冶金株式会社製で、紙にアルミニュームが塗布された500mの巻紙を、60センチ、70センチ、80センチなどの長さに切って、機上から散布するのだそうだ。その効果については班員は理解できなかったが、こんな新兵器が内地から迅速に運び込まれていることに吃驚した。

この時期、元々南西方面艦隊麾下だった753空が前年12月以来のマーシャル方面の支援作戦で損耗した機材を内地で補充、ケンダ

▶搭乗員がワシレの宿舎近くで「電波妨害片」を波長に合わせて切る作業をする。電波妨害片の写真は極めて珍しい。しかもこの妨害片の製造会社、使用時期が阿部報道班員の手帳から初めて特定された。　撮影／阿部徹雄

リーに復帰していた。その753空も第三空襲部隊に編入され、ワシレへの進出を命じられ、5月26日にはソロンとワシレにそれぞれ6機を配備、作戦に備えていた。

渾作戦の発動に伴い、732空と753空の陸攻部隊は、状況に応じてソロンとワシレを使い分け、ビアク島や新しく整備されつつあるオウイ島の敵陣地爆撃を行なうことになった。3日には753空の砂山功少尉が指揮する753空・3機、732空・3機の計6機がソロンからオウイ島の敵陣地を空爆した。この日の空襲にはレーダーによる対空射撃妨害のため、「電波妨害片」が撒かれた。72発の60kg爆弾は、全弾敵陣地に吸い込まれていき、爆発、大火災を生じせしめた。また行動調書によれば、妨害片の散布により、米軍の対空砲火は精度を欠いたとも書かれている。

黒川中尉の本音

6月4日には黒川中尉が指揮する732空の3機と、753空の1機、計4機がビアク島沖の敵艦船攻撃に向かった。732空の1機が爆装、残り3機は雷装だった。午後7時20分に離陸した雷撃隊3機は、日付が変った午前零時頃、ボスネック沖で敵艦隊を発見、雷撃を敢行した。巡洋艦1轟沈、駆逐艦1撃沈を果たした攻撃部隊は、5日午前3時半に全機無事に基地に戻った。黒川特務中尉が尾碕飛行長に朴訥な東北弁で戦果を報告し、最後に「溜飲がやっと下がった気がします」という言葉で締め括った。その様子に阿部班員は感激を覚えた。

その晩、753空1機と732空の2機、計3機は753空の砂山少尉の指揮の下、今度はワクデの夜間爆撃を行なった。午後6時に出撃した3機は、11時半に爆撃を実施、進出したばかりでほとんど無防備に並べられていた敵機を76機、撃破するという大戦果を挙げた。8日にも753空と協同し、4機がワクデを夜間爆撃、40機以上を破壊することに成功した。

しかしこの後は機材が払底し、2、3機でビアクやワクデへの空襲を散発的に行なうにとどまった。732空本部は態勢を立て直すためデゴスに転進することになり、阿部班員も7日、ワシレを去った。その後も阿部班員は精力的に取材活動を続けるが、ワシレのような最前線に立つことはなかった。マカッサル、バリクパパン、スラバヤと取材を続けた班員が、内地の土を踏んだのは11月も半ばを過ぎてからのことであった。

その後の732空

八十川飛曹長（5月1日進級）はワシレに移動してから体調を崩し、6月18日に黒川中尉機の電信員として索敵任務に搭乗した以外は、搭乗割に名前が出ることはなかった。その飛曹長もあ号作戦の発動に伴い、6月20日には残された稼働兵力9機に乗り込みペリリューに進出するが、そこで塗炭の苦しみを味わうことになる。ペリリューで732空は2回の哨戒と、1回の船団攻撃を行なっただけで6月中には全兵力を喪失し、後は空襲を避けてジャングルの中を逃げ回る生活。ようやく7月19日薄暮、2機のダグラスがペリリューに降り立ち、司令以下残された732空搭乗員40名はマニラへ脱出できたのだった。そして732空はその9日前、7月10日付で帳簿上は解隊されていたのである。

[Appendix] Naval 12 cm Anti-Aircraft Gun Emplacement

〔補遺〕海軍十二糎高角砲陣地

〔この見開き２枚〕日本海軍が基地防空のために陸上に設置した高角砲陣地の写真は珍しい。写真は阿部氏の従軍日程にも記録があるアンボン島第１砲台を撮影したもの。迷彩が施された八九式十二糎七高角砲のディテールがはっきりと読み取れるほか、陣地の配置や擬装の様子も伝わってくる。

The photos of IJN anti-aircraft gun emplacements for the air defense of their land base are very rare. The details of camouflaged Type 89 12.7cm AA Gun are clearly visible, also the arrangement of the emplacement and the camouflage netting are noticeable. Each AA gun was controlled by the ranging data from the range finder.

アンボン島第１砲台の射撃指揮所たる壕。画面左手前に対空見張り用の双眼鏡と射撃管制器が設置されており、各砲はここで算定されたデータにより管制射撃を行なった。

The fire direction pit for the 1st battery in Ambon Island. On the left foreground are the binoculars for air surveillance and the fire control system, and each gun was directed by the data from the pit.

Chapter 4 : THE AIR OPERATIONS OVER OKINAWA, SEEN FROM KUSHIRA BASE

第4章

沖縄航空作戦、串良基地にて

When Mr. Abe retuned homeland in the spring of 1944, the situation of the war had completely changed. After occupying Philippines and Iwo Jima, Allies suppressed south Kyushu in March 1945 to start the invasion on the main island of Okinawa at last on 1 April. In this chapter, we will observe rare photos by Mr. Abe who covered Kushira Base, Kagoshima Prefecture in south Kyushu region, which became one of the front line bases for the defense of Okinawa.

阿部報道班員が内地へ帰還した昭和19年暮には、戦局は大きく様変わりしていた。フィリピン、硫黄島を手にした連合国軍は昭和20年3月に南九州を制圧、4月1日、ついに沖縄本島へ上陸する。ここに紹介するのはその防衛のため第1線と化した南九州鹿児島県の串良基地へと従軍した、阿部氏の貴重な写真である。〔解説／吉野泰貴〕

Of the series of photos taken by Mr. Abe in April 1945, now all negative films were lost and only the contact prints glued on a notebook remain. The images shown in this chapter are magnified from these small photographic papers.

▲昭和20年4月に阿部氏が撮影した一連の写真はネガが残されておらず、こうしてフィルムを印画紙にベタ焼きにしたものだけが現存している。ここで紹介するのはその小さな印画紙から浮かび上がった画像である。

昭和20年4月、串良基地
雷撃隊の出撃を送る

Seeing off the Departure of Torpedo Bombers,
at Kushira Base, April 1945

◀エプロンに列線を敷き、給油、ならびに雷装作業を実施中の天山一二型群。昭和２０年４月当時、南九州の海軍航空基地は串良のほかに鹿屋、笠之原、鹿児島（鴨池）など多数があったが、海軍航空隊、とくに艦攻隊や陸攻隊の展開基地は魚雷の調整能力の有無によって選定され、どこでもよいというわけにいかなかった。串良は第２８魚雷調整班が展開する魚雷調整能力のある基地で、同年２月に７０１空攻撃第２５１飛行隊が展開、３月の九州沖航空戦を経て、沖縄作戦が始まった４月初めには日本全国に残存する天山隊や九七艦攻隊の多くがここへ集結して戦った。手前の運搬台車に搭載された九一式魚雷は黒く塗られた実用頭部を装着しており、尾部の框板（きょうはん）も箱形ではなく十字形のものを用いている。運搬台車は人力で移動せねばならず、画面右でも大勢の魚雷調整班員たちが格闘中。九七艦攻はもちろんのこと、天山であっても昼間の作戦行動は無理で、これらの機体も昼間のうちに出撃準備をして即時待機に入る。時には喜界島へ昼間のうちに進出し、沖縄本島周辺の敵艦船攻撃を実施したこともあった。

The line of Nakajima B6N2 Tenzan being refueled and loaded with torpedoes. In April 1945, besides Kushira Base, while there were many IJN air bases in south Kyushu region such as Kanoya, Kasanohara, Kagoshima (Kamoike), but only the bases with torpedo operational capability were suitable for carrier torpedo bombers or land-based bombers. Kushira Base had it and in February 1945, 251st Attack Squadron of 701 NAG was deployed there. After the Air Battle off Kyushu in March, many of the B6N or B5N units remaining in homeland gathered here from early April on after the Allied invasion on Okinawa began. Note the Type 91 Torpedo on a dolly in the foreground with a black service warhead and a cross-shaped shedding tail plates. The dolly had to be moved by man power and many groundcrew are grappling in the right. At that time, needless to say old B5Ns, even B6Ms were unable to execute daytime sorties, so these planes would be prepared in flyaway conditions during daytime to stand to for night sorties. Sometimes they advanced to Kikai Island in daytime and carried out anti-shipping strikes around the main island of Okinawa.

▲機付きの整備員が見守るなか、文字通り油まみれになって雷装作業を行なう魚雷調整班員たち。運搬台車でジャッキアップされた魚雷にはすでに“抱締索”と呼ばれるワイヤーが掛けられており、これを引き締めながら機体の振れ留めで固定して、懸吊作業は完了となる。通常、爆弾の懸吊は兵器整備員が行なうが、精密機器の塊である航空魚雷（艦艇用の酸素魚雷も一緒だが）はデリケートな扱いが必要で、これは彼ら調整班員たちの独壇場であった。プロペラブレードから剥がれ落ちた塗料、カウリング後端から突き出た単排気管など情報量も多い写真で、画面左の主翼にはH-6機上電探と略称された三式空六号無線電信機用の八木式アンテナが見える。この位置のアンテナは機体前方へ電波を投射してその反射波を受信するためで、胴体左右に設けられたアンテナと切り替えて、前、右、左を交互に探信する。昭和１９年中盤以降、天山一二型の生産は３機に１機の割合でこの電探装備機とするよう行なわれていた。

While the groundcrew responsible for this plane are watching, the torpedo mechanics are loading a torpedo literally covered in oil. The torpedo jacked up from the dolly is already hung by the loading wire band, and by tightening it up to fit the sway braces under the fuselage, the loading will be completed. Usually, the loading of bombs were done by aviation ordnancemen but in case of aerial torpedoes, as they are precision machine that requires especially delicate care for the setting, only torpedo mechanics could fulfill the task. On the right leading edge of this B5N is the Yagi Array for H-6 onboard radar. This array is for transmitting/receiving signals for forward, and by switching H-6 to starboard or port arrays, it could search the forward, starboard and port sides of the plane. From the middle of 1944 on, the one third of B6N2 was produced with this radar.

The B6N2 “701-96” of 251st AS, 701st NAG with a torpedo. During the Katori Base days, the marking of Z flag might be on the vertical stabilizer in the area now roughly overpainted. The aircrew both on and off duty are providing final preparation for the next sortie. While the torpedo dolly was already removed, the torpedo setting on the stabilizer unit is still going. Note the elevator trim tabs in down position in accordance with the elevators’ position. On 11 April, this plane flown by LT Tetsurou Nagata, WO Hiroe Mizutani and PO Kouzaburou Ozawa took off Kushira Base at 16:55 with a Type 91 Rev.7 Torpedo. They barrier patrolled around Kikai Island but found no enemy and returned at 21:05 safely. This photo might be taken on that day.

▲雷装した701空攻撃251の天山一二型〔701-96〕号機。垂直尾翼上部には不規則に塗りつぶしたあとが見られるが、以前に展開していた香取基地時代に“Z旗”でも描いていたものか？　プロペラを見てもわかるようにまだエンジンは始動しておらず、出撃する隊員と残留の隊員とで出撃前の最終準備中の様子と思われる。機体下から魚雷の運搬台車は移動されているが、魚雷の尾部ではまだ調整作業が行なわれている。画面手前の昇降舵が上がり、それと連動してタブが下げ位置になっているのに注意。この機体は4月11日に永田徹郎大尉（海兵70期）-水谷廣恵飛曹長（偵練41期）-小澤幸三郎上飛曹（甲飛8期）のペアが搭乗、九一式魚雷改七を懸吊して1655に串良基地を発進、喜界島東方海面の索敵攻撃を実施して敵を見ず、2105に無事に帰還した記録があるが、写真はその当日に撮影されたものかもしれない。

火星エンジンを始動した天山一二型の列線。機上にはすでに搭乗員が乗り込んでおり、発進の合図を今や遅しと待っているかのようだ。各機の前では残留する隊員たちが心配そうにたたずんでいる。左端の機体には主翼の前縁に電探の八木式アンテナが見え、2機目の機体は最後部の可動風防をそのまま残してその前方だけを開放している。なぜか3機目と4機目の機体には魚雷も何も搭載されていない。

The line of B6Ns starting Kasei engines. Note the aircrew aboard waiting the order for takeoff. In the foreground, the aircrew without sortie on this day are standing anxiously.

▶〔この見開き下段2枚〕
串良基地のエプロンから、出撃する天山を見送る。2枚の写真はパノラマ形式で撮影されており、飛行場の奥行きが伝わってくる。P.113下写真の2機の天山は八〇番通常爆弾（海軍で言う通常爆弾は艦船攻撃用を指す）を懸吊しており、4月6日の昼間特攻で散った第一天桜隊、あるいは16日の昼間特攻の第二天桜隊の使用機とみて間違いない。

(The two photos on these pages) Seeing off the departure of Tenzan from Kushira Base. As these two photos were taken panoramically, the depth of the airfield is well shown. The two Tenzan on page 113 with an 800 kg Ordinary Bomb (In the IJN terminology, “Ordinary” bomb meant for anti-shipping) are certain of 1st or 2nd Amazakura Unit executed suicide attack on 6 or 16 April each.

The aircrew with no sortie on this day are seeing off the taxing attackers waving their caps. The flag seen in the left is a Hinomaru with messages from many people and in the right is a Z flag.

離陸点へとタキシングしはじめた出撃機を、出撃の搭乗割から外れた隊員たちが帽振れで見送る。画面左の人物は寄せ書きの書かれた日の丸を、右の人物はZ旗を打ち振っており、奥では雷装の天山が発進の順番を待っている。

▲串良基地を離陸する九七式艦上攻撃機一二型〔KEB-303〕号機。もともと九七式三号艦攻と呼ばれた、栄一二型エンジンを搭載した機体。部隊記号のKEBは第931航空隊を現す（KEAは901空、KECは453空）。931空は「神鷹」や「海鷹」などの改装護衛空母に搭載して船団護衛任務を行なうために編成された部隊であったが、沖縄作戦に呼応して串良へ進出。当初は他の艦攻隊（131空司令を指揮官とする一三一部隊）と別の指揮系統で作戦していたが、4月14日以降は串良に展開する全艦攻部隊を指揮下におき、呼称も九三一部隊となった。写真の機体は一二型のなかでもプロペラにスピナーが装着された後期生産型といえ、垂直尾翼に記入された斜めの黄色い帯から磁探装備機と判断できる。この斜め帯は海上護衛隊／海上護衛艦隊の麾下部隊に見られた統一標識で、電装備機は赤帯となる。懸吊する魚雷は九一式魚雷改三と思われ、この見開きページに掲載した写真の機体は全て箱形框板となっている。

The B5N2 “KEB-303” taking off Kushira Base. The unit code “KEB” was for 931st NAG (“KEA” for 901st and “KEC” for 453rd NAG). Though 931st NAG was originally organized for escort carriers such as “Jin-you” or “Kaiyou”, moved to Kushira to take part in the Operations for Okinawa. While 931st NAG was initially operated independently from other carrier bomber units under 131st Unit, but from 14 April on, all other carrier bomber units at Kushira were attached under it and was renamed 931st Unit. This B5N2 is late model with a spinner, and the yellow diagonal stripe on the vertical stabilizer indicates it equipped with radar. The diagonal stripe was common with Maritime Escorting Flotilla/Fleet and the red stripe was for magnetic anomaly detector. The torpedo seems Type 91 Rev.3 and all of these three B5Ns have box-shaped shedding tail plates.

Unfortunately, the aircraft number is illegible by backlight, slightly visible “KEB” indicates this was the B5N2 of 931st NAG. The plane seems without the diagonal stripe. Note the arresting hook in place for they were carrier-based aircrafts until recently.

▲シルエット状になってしまったため残念ながら機番号は判読できないが、部隊記号のKEBがかすかに読み取れる931空の九七艦攻一二型。この機体は斜めの帯を付けていないようだ。つい先日まで空母搭載部隊として作戦していたため、着艦フックは装備したままだ。

◀同じく離陸する九七艦攻一二型で、右主翼(向かって左)前縁に電探用の八木式アンテナを装着しており、やはり931空の機体と推定できる。旧式の九七艦攻とはいえ931空は錬度も高く、このの ちも粘り強く夜間雷撃で戦い、やがて装備機を天山へ更新されることとなる。

Another B5N2 of 931st NAG with the Yagi array on the leading edge of the right wing. Although equipped with obsolete B5Ns, their proficiency was so high that they carried out several night torpedo attacks tenaciously and finally received Tenzan.

▲光エンジンの爆音を轟かせ、胴体下に八〇番通常爆弾を懸吊しつつ発進にかかる九七式艦上攻撃機一一型。旧称を九七式一号艦上攻撃機というこの旧式機は永らく練習航空隊で練習機として使用されていたものだ。フィリピン決戦に敗北した日本海軍（陸軍もだが）は、昭和20年2月に入り練習航空隊を含めた本土決戦計画を立案、4月1日のアメリカ軍の沖縄本島上陸を受けて百里原空や宇佐空、姫路空から編成された特攻隊が串良へ前進していた。前ページまでで紹介したように新鋭の天山隊や、同じ九七艦攻装備でも技倆の高い931空などの部隊は夜間雷撃に活路を見出す（それでも天桜隊など天山の昼間特攻隊を出している）が、教官・教員を基幹として編成されたとはいえ彼ら練習航空隊は旧式機による昼間特攻作戦でその命を散らすことを強要された。座席をいっぱいにまであげ、見送りの隊員たちを注視する操縦員はだれだったのだろうか。

A B5N1 starting for takeoff with an 800 kg bomb. This old airframe had been used in training unit for a long time. The IJN (and also IJA) defeated in the Battle of Philippines planned the decisive operations in homeland including the use of training units, and in accordance with the U.S. invasion on Okinawa on 1 April, the special attack units from Hyakurihara, Usa and Himeji NAGs were moved to Kushira Base. Although a few units with new B6Ns or high proficiency like 931st NAG (Even so, they had to extract Amazakura special attack unit of Tenzan) could find their way in night torpedo attacks, these obsolete trainers piloted by the instructors were forced daytime suicide attacks.

4月12日、串良基地 艦攻特攻隊の出撃

The Departure of the Torpedo Bombers for Special Attack,
Kushira Base, 12 April.

▼沖縄作戦において艦攻隊の根拠基地となった串良には練習航空隊で編成された艦攻特攻隊も進出してきた（詳細は次ページで紹介）。写真は搭乗員が飛行服の右腕に縫い付けた、「常盤特攻忠華隊」と書かれた味方識別用の日の丸をアップで撮影したもの。周囲を飾る八重桜が、死出の旅へと向かう搭乗員たちへのせめてものはなむけとなった。常盤特攻忠華隊は百里原空で編成された艦攻特攻隊で、同じく百里原空で編成された艦爆特攻隊は「正気隊」と称した。なお、この味方識別用の日の丸は昭和20年2月16日、17日の敵空母機動部隊関東方面来襲時の邀撃戦で落下傘降下した横須賀空の戦闘機隊員が自警団により撲殺されたことを受けての措置で、陸軍航空部隊では両腕に縫い付けた例を見る。

This photo shows the identification Hinomaru sawn on the right upper arm of a pilot. The double cherry blossoms around it were the only farewell gift for him. This identification Hinomaru was introduced after the unfortunate incident that a bailed out IJN pilot of Yokosuka NAG was beaten to death by Japanese vigilante on 16 (or 17) February 1945 and some IJA pilots had it on both arms.

串良基地に結集した艦攻特攻隊

フィリピン決戦に見切りを付けた日本海軍は、沖縄を含む本土周辺での決戦で敵兵力の撃滅を画策する。とはいえ「後詰め」が底をついて押し負けた今、投入できる航空兵力は充分に用意できるはずもない。

そこで、昭和20年2月に策定されたのが練習航空隊を実戦部隊に格上げして「特別攻撃隊」に編成し、戦力を水増しすることだった。3月1日、練習聯合航空総隊を解隊して第10航空艦隊(第8基地航空部隊)が編成される。およそ、3,600機の練習機がこれで作戦機となった。

当時、艦上攻撃機の実用機教程を担当する練習航空隊は姫路海軍航空隊、宇佐海軍航空隊、百里原海軍航空隊の3隊であったが、これら各隊は2月中旬のうちに教官・教員と、繰り上げ卒業した特修学生(飛行予備学生。ここでは予備生徒も含む)、練習生たちで特攻隊を編成し、突入訓練を開始。4月1日に沖縄本島へアメリカ軍が上陸してくると、続々と串良基地へ進出して第1機動基地航空部隊131部隊指揮官の隷下、特攻待機に入った。

これら各隊の装備機は旧式の九七式艦上攻撃機で、その多くは一一型(旧称の一号艦攻)であり、これは開戦時ですら第1線機といえない代物であった。百里原空からは九七艦攻六一型(三菱製の旧称二号艦攻)も進出したが、これは串良で一一型に交換されたようだ。4月5日時点での在串良の九七艦攻は34機(修理中1機)と記録されている(この時点では931空は含まれていない)。

串良へ結集した艦攻特攻隊の隊員は日華事変に参加した猛者や、緒戦時に空母機動部隊で活躍したベテランも多く、なかでも姫路空特攻隊の先頭に立った佐藤清大尉は操練15期のベテラン特務士官であったが、「若い者だけを特攻出撃させるわけにはいかない」と自ら先頭に立ったのが特筆される(下士官兵出身者としては一番古い特攻戦死者となる)。また、宇佐空からは飛行隊長の山下博大尉が率先垂範して特攻隊を率いているほか、百里原空では搭乗割を組む先任分隊士であった中西達二中尉が真っ先に自分の名前を特攻隊員の編制表に書き入れたと伝えられる。

その初陣は航空総攻撃、菊水一号作戦発動初日の4月6日。宇佐空と姫路空を主体に編成された30機の特攻隊(九七艦攻29機、『天山』1機)が1230串良を発進、敵戦闘機を回避するため列島線を西方に大きく迂回して沖縄本島周辺艦船(主目標、輸送船)へ殺到して27機が未帰還となり、うち5機が突入電を報じてきたが、空母に突入せるもの4機、戦艦に突入せるもの8機と判断された。前記した山下大尉、佐藤大尉はこの第1回攻撃で戦死。

続いて第2陣が出撃したのは菊水二号作戦中の4月12日。この日、百里原空6機、宇佐空12機、姫路空4機の九七艦攻で編成された昼間特攻隊は沖縄周辺敵空母への攻撃に向かい、19機が未帰還となるうち、4機が戦艦への突入を報じた。

その様子は131空戦闘詳報に「當部隊特別攻撃隊ノ壮烈鬼神ヲ哭カシムル作戦行動ハ御稜威ト天佑神助ニ依リ所期以上ノ大戦果ヲ擧ゲ以テ其ノ大任ヲ完ウシタルハ千載ニ薫ル可キ武人最高ノ榮譽ヲ負フモノニシテ本作戦ニ寄與スル所極メテ大ナリ。其ノ偉功顕著ナリト認ム」と記載されている。

4月13日に931空司令の指揮下に入った彼ら練空艦攻特攻隊は以後も出撃を続け沖縄の空へ散っていく。5月5日には宇佐空、姫路空は解隊され、人機ともに百里原空へ集約されることとなる。

沖縄航空作戦艦攻特攻隊の名称

所属航空隊名	軍隊区分上の隊名	全軍布告時の隊名	隊名の由来
百里原空艦攻隊	131 部隊百里原隊	常盤忠華隊	茨城県地域の旧称に由来
姫路空艦攻隊	131 部隊姫路隊	護皇白鷺隊	姫路城の別称白鷺城に由来
宇佐空艦攻隊	131 部隊宇佐隊	八幡護皇隊	宇佐八幡宮に由来

※全軍布告時の隊名は当初、各隊で付けていた愛称だった。131 部隊は 131 空の軍隊区分上の呼称
※これら 131 部隊の九七艦攻隊を、宇佐八幡に縁ある和気清麻呂にちなみ、和気部隊と称した。
※このほか串良基地に結集した『天山』艦攻隊から選抜された特攻隊は天桜隊として編成、布告されている。
※ 4 月 7 日以降、951 空、901 空の九七艦攻も特攻編成に加わった。

▲◀4月12日の沖縄周辺艦船攻撃出撃時の別杯風景を撮影したものか。下写真で中央にいる人物は左腕に大尉の階級章を付けており、この日の指揮官として出撃したただ一人の大尉である西森英夫大尉かもしれない。隊員たちが手にするアルミの容器は日本海軍で多用された食器のひとつで、時には茶碗代わりにもなった。

A farewell toast by the pilots. If this photo was taken on 12 April, the man with Lieutenant's insignia on his left arm in the photo below may be LT Hideo Nishimori, the only Lieutenant on duty that day. The small aluminum bowl they use for drinking was one of the IJN standard eating receptacles.

▲4月12日、80番爆弾を懸吊して串良基地を発進した九七艦攻一一型〔ウサ-315〕号機には、神風特別攻撃隊第三御楯隊一三一部隊宇佐隊12機の1番機として芳井輝夫中尉（海兵73期）-大崎國夫少尉（予学13期）-高橋 忠二飛曹（甲飛12期）ペアが搭乗していた。任務は菊水二号作戦における沖縄周辺敵艦船への特攻攻撃である。出撃した本機からは、隊長機らしく逐次、以下のような電文が発せられた。

1240「全機士気極メテ軒昂、一路南二向フ、天候悪シ『ミスト』アリ、我受信機故障送信ノミ行フ
1259「電信機故障連絡頼ム」
1335「二時間飛ブモ敵機ナシ、天佑アルヲ信ズ、1340」
1341「雲多クナリツツアリ1345」
1358「四番機奄美大島ノ方二向フ、発動機不調」
1417「戦場到達後一時間半敵機影ナシ、雲増シツツアリ、天候晴、三、四番機ヲ見失フ他異常ナシ」
1427「我四番機ヲ見失フ、海底突入ノ算大、1430」
1433「敵機ヲ発見ス」

そして、1441「我敵戦艦二体當リス」と打電してきたのち長符連奏、それが途絶えたときが彼らの最後であった。
この日帰らなかった彼ら宇佐隊は聯合艦隊告示第143号で「神風特別攻撃隊 第二八幡護皇隊」と布告され士官は二階級特進、下士官は海軍少尉に特進している。

The B5N1 "ウサ(Usa)-315" with an 800 kg bomb leading 12 planes of 131st Usa Unit, 3rd Mitate Unit was flown by LT Teruo Yoshii, ENS Kunio Oosaki and PO2c Tadashi Takahashi. They were assigned the special attack against ships around Okinawa as the part of Operation 2nd Kikusui.
The reports from the unit leader were following;
12:40 "All men keeping high morale, heading for south, weather is bad with some mist, my receiver is broken, only transmission is possible".
12:59 "My radio is broken, communicate for me".
13:35 "We kept flying for 2 hours, but no enemy. Hope good luck to us all, its 1340".
13:41 "Cloud is getting thicker, its 1345".
13:58 "4th plane turns to Amami Island for engine trouble".
14:17 "One and a half hours have past in combat airspace, but no enemy aircraft, cloud is increasing, weather is fine, no trouble except losing contact with 3rd and 4th planes.
14:27 "4th plane completely lost contact, probably crushed into water, its 1430".
14:33 "Enemy planes in sight".
And at 14:41, after their last report "We make dive into enemy battleship", a series of long signals for farewell followed until their last moment.
The Usa Unit never returned on that day was proclaimed as "Shimpuu Special Attack Unit 2nd Hachiman-Gokou Unit" by the Combined Fleet Notice No.143, and the officers received accelerated promotion of 2 ranks, and the NCOs were promoted to Ensign.

串良の地面を蹴った〔ウサ-622〕号機。本機は同じく第三御楯隊一三一部隊宇佐隊の第5小隊4番機として豊田美春二飛曹(乙飛18期)-渡邊健二郎少尉(予学14期)-小杉秀吉二飛曹(乙飛18期)のペアが搭乗したが、発進後、連絡なく未帰還となった。この機体も主翼下面の日の丸に白フチが付いており、胴体の塗り分けは左ページの機体と様子が違っている。

The B5N "Usa-622", the 4th plane of Usa Unit flown by PO2c Yoshiharu Toyoda, ENS Kenjirou Watanabe and PO2c Shuukichi Kosugi, lost contact soon after the departure and never returned. The B5N also have white rim on under wing Hinomaru and has different fuselage scheme with "Usa-315".

上昇する九七艦攻一一型。主翼前縁にオーバーラップされた濃緑色の範囲が目をひく。読み取ることはできないが、カウリング下には機番号の下二ケタを記入しているようだ。これら特攻隊が懸吊した爆弾は、艦船用の八〇番通常爆弾一型改四と記録されている。

Another B5N1 gaining altitude. Note the dark green camouflage overlapping on the leading edges. Though illegible, the last two digits of the aircraft number are applied on the cowling chin. The anti-shipping bombs used by these special attackers are recorded as No.80 Ordinary Bomb Type 1 Rev.4.

こちらも離陸した瞬間の九七艦攻。撮影方向にもよるが串良基地周辺には小高い山などがない様子、飛行場周辺に点在する森林のたたずまいなどがよく伝わってくる。

Also another B5N taking off. In this direction of Kushira Base, only some woods were visible on the plain.

出撃する九七艦攻特攻隊を手ぬぐいを振って見送るモンペ姿の婦人たち。右から２人目にはおかっぱ頭の少女の姿も見える。なんとも作為的なシチュエーションだが、これはやらせなしの光景で、塀で囲まれた兵営に比べて「飛行場には柵がない」を合い言葉に、多くの一般人たちがこうして詰めかけ、出撃を見送ったという。

The women seeing off a B5N special attacker waving hand towels. The second from the right is a school girl with bobbed hair. Though it seems to be a propagandistic scene, it was not a staged photo and many civilians visited such airfields saying “There is no fence around airfields” to see off special attack units.

要務飛行に飛来したのか、不時着したものか、串良基地で翼を休めていた零戦二一型が離陸していく。この時撮影されたなかでは唯一の零戦の写真で、高速で上昇する機体をうまく流し撮りしたものといえ、差動しながらも同時に引き込まれる主脚の様子や、胴体下面の汚れ具合などがよくわかる。主翼下面２カ所にある２０㎜機銃弾の内殻放出口が黒く四角く見えるのが印象的。

An A6M2 taking off Kushira Base after a liaison or a minor repair. This is the only photo of A6M taken in those days and as successfully photographed without blur despite the high speed and the increasing altitude, the being retracted landing gears with some time lag and the stains under fuselage are clearly visible. The two rectangular ejection ports for 20 mm gun are impressive.

この後の阿部報道班員の動向

昭和20年4月、毎日新聞社海軍報道班員として、沖縄航空作戦最前線基地のひとつである串良基地で取材に任じていた阿部氏のもとへ、突如として陸軍2等兵として群馬県籠原の連隊へ入営するよう召集令状が届く。期限は受け取ってから一週間に満たなかったという。

新幹線も整備されていない、ましてや戦時中の当時、これは物理的に無理な命令といえた。ときとして海軍側のPR活動の足を引っ張ろうとする陸軍側の妨害行動はこうした報道班員を懲罰人事的に兵隊に取る行為となって現れたが(海軍系の航空機メーカーに勤務する有能な工員を敢えて召集するなどの卑劣な行為は、輸送船団上空を直衛する海軍機の不足となって自分たちに降りかかってくる)、阿部氏の一件もそうしたものといえそうだ。

ところが、こうした阿部氏の様子を見かねた串良基地の高官は神奈川県の厚木基地へ要務飛行する輸送機への便乗を手配。期限を破ることなく無事入営することに成功する。これを面白く思わなかった陸軍関係者がいたというから、やはり陰謀説には信憑性がある。

陸軍2等兵となった阿部氏は北海道の陸軍飛行場の建設に従事して8月15日の終戦を迎え、復員後に毎日新聞へ復帰した。

毎日新聞社 海軍報道班員

阿部徹雄の経歴と戦後

阿部 力

▶ドイツ製プレスカメラ、ミニマムパルモスを携えた阿部広東支局員（写真左）、1940年賓陽県城にて

阿部徹雄が自らの経歴を語った書物には、「写真に生きる」1976年、玉川大学出版会刊があるが、戦争中の足跡にはほとんど触れていない。しかし写真の撮影技術も文章力も、全て20歳代後半の戦地勤務の中で身に着けたものである。

阿部は1914年5月14日、当時の朝鮮全羅南道羅州郡で生まれ、1921年に満鉄の鉄道技師であった父親と死別し、幼少期を宮城県登米郡登米（とよま）町で過ごした後、仙台での中学時代を経て上京し、東京高等工芸学校（現千葉大学工学部）の印刷工芸科で印刷を学んだ。そして1936年同校を卒業し、東京日日新聞（1943年に毎日新聞に商号変更）に入社した。

学生時代の学科選択を印刷に定めた理由は、「印刷こそ文化」と思ったが故と後年述べているが、新聞社の印刷部門の幹部要員として入社はしたものの、「文化」とはほど遠い現実の印刷現場に程なく幻滅を感じ、編集局写真部への転属を希望し、転属が認められた。そして写真部では連日の深夜の暗室作業からの再スタートとなった。

阿部は入社3年後の1939年3月頃、支那事変が激化するなか広東支局へ派遣され、ここでの勤務は1942年7月に日本郵船の「大和丸」に乗船し帰国するまで3年以上に及んだ。

阿部の広東での職掌は写真取材であったが、外電の分析を手始めに文章の勉強を始めたようだ。広東特派員時代の取材ノートは現存しないものの、克明な写真説明付きのアルバムが残っている。時には拳銃を携帯し戦地に赴く部隊付き特派員は危険を伴う仕事ではあったが、小所帯で自由度の高い広東支局に長期間勤務したことは貴重な経験になった。この時期に香港で私物のライカを買い入れ、その後の海軍報道班員時代を通して、35mmフィルムの写真を残している。

そしてライカを戦争末期に戦災で失った後は、ライカにはこだわらず、終生キヤノンのレンジファインダーカメラを愛用した。

広東時代には、1940年に同じ戦場を踏んだ記事担当の先輩特派員が風土病により落命しており、当時の南方の戦地では感染症との闘いに負けない体力も必要であった。阿部にとって広東時代の思い出深い出来事は、1942年春、陸軍省の依頼により作戦記録画の画題取材のために広東を訪れた藤田嗣治氏と山口蓬春氏に付き添い、2週間ほど戦跡を案内し、当代一流の画家と親しく接したことである。さらに藤田氏からは、年季明けの7月の帰京に際して柳行李一棹の持ち帰

▶飛行する陸軍の九七式重爆撃機一型。本書では割愛したが、広東支局時代の阿部氏のアルバムには少ないながらもこうした空撮写真が納められている。

りを頼まれ、それに応じたこともあった。この一件が10年後の阿部の渡欧に際してのパリの藤田氏のアトリエ訪問へと繋がっている。

阿部は広東からの帰京後、写真月刊誌「寫眞文化」1943年2月号に、4枚組写真「雨と闘う兵隊」を発表している。「寫眞文化」に掲載された阿部の写真記事は、長い写真キャプションを書き添えた陸軍省検閲済の写真記事である。4枚の写真は雨の戦地という視点で写真を選び、文章は原稿を依頼された時点で書き起こしたと思われるが、すでにこの時点で文章へのこだわりは並み大抵ではなかったようだ。

次の戦地勤務は1944年1月から11月までの海軍報道班員勤務であった。敗色濃厚のこの時期、もはや海軍に船なく、日本近海まで米潜水艦が出没する中での外地への移動手段は、数日に1便の海軍の連絡機に分乗するのみの時代であった。セレベス島（現スラウェシュ島）を拠点にして、佐官待遇の報道班員として最前線の海軍航空隊の基地を巡った。

そして、航空戦取材の傍ら、1944年8月8日にはセレベス島マカッサル市の三笠会館で現地邦人向けに「戦線随想」と題した講演を行なった。この時期は大敗北を喫したマリアナ沖海戦から間もない時期であり、現地邦人にとって報道班員が語る戦況報告は大きな関心事であったと思われる。

1944年11月の帰国から4か月後、翌年3月には九州沖航空戦が激化したことから、再度海軍報道班員として3月21日鹿児島県鹿屋の串良基地に着任した。当日は桜花15機を搭載した神風桜花特別攻撃隊神雷部隊が出撃したものの全滅を喫した日である。この日に始まり4月24日までの特攻隊取材の記録が残っている。

そして鹿屋での取材中に赤紙が舞い込んだため、急遽5月1日に群馬県籠原の陸軍歩兵第五百四聯隊に応召し、三か月あまり陸軍2等兵として北海道の渡島半島で飛行場建設に従事した。30歳を超えた海軍軍属の一兵卒としての召集は理不尽とはいえ、この地で戦友として越後高田（現上越市）で著名な写真館を営む小熊義人氏と巡り会い、終生の友人となったことは特筆したい。

◀同じく広東支局時代の阿部氏のアルバムから。のちの一式陸攻の夜間出撃をほうふつとさせるシーン。手前は九七重爆で奥は九九式軍偵察機のようだ。

終戦後は1946年4月から毎日新聞傘下のサン写真新聞社から創刊されたタブロイド判夕刊紙「サン写真新聞」の写真部長を務めた。写真部長の職責は全国に配置した要員にスクープ写真の撮影を督励する仕事であるが、阿部はスクープ写真の価値を最大限高めるためには、文章力を発揮したキャプションが欠かせないという信念から、部下へも文章修業を求めた。

35mmカメラが普及し始めた戦後は、最初の写真ブームが到来し、モノクロ写真を現像や焼き付けを行うアマチュア写真家の増加を背景にして、1954年には後発カメラ雑誌として「カメラ毎日」が創刊され、阿部は創刊準備の時期から数年、「カメラ毎日」編集部に在籍した。阿部は「カメラ毎日」の読者も単なる「カメラ好き」に止まらず、絵画や彫刻、更には文学にも幅広く関心を持ってほしいと考えてのことと思うが、数々の対談記事を企画している。

その後1952年そして1957年から58年にかけての自費による二度の欧州取材旅行を敢行し、写真と文章からなる3冊の大著、「パリ・ローマ」1954年毎日新聞社刊、「藝術の都」1956年新潮社刊そして「現代の造形」1959年毎日新聞社刊を出版した。そして1964年50歳を期して毎日新聞を退社した後は、「美の源流の探求」をライフワークとして、徐々に写真から文章へと比重を移し、2007年に93歳で他界するまで著作を続けた。

本書に掲載した写真は、一部が戦時中に新聞に掲載された以外、戦後は全く発表していない。そして阿部は往きて還らぬ幾多の海軍機の出撃に立ち会ったものの、当時の体験を子供たちに語ることはなかった。そして撮影後70年の時を経て、本書の解説陣は今に残るネガホルダーと取材ノートを紐解き、本書の上梓を実現させた。

※筆者は阿部徹雄氏の長男であり、写真の保管／提供者。

▲カタパルトに搭載された九四式水偵との位置関係から球磨型（あるいは長良型）軽巡洋艦と推測できる艦上での軍艦旗掲揚を撮影したこの写真は、やはり広東支局時代のもの。後檣周辺のディテールがよく伝わってくる。軍艦旗の下に見えるカバーのかかった半球形の物体は探照灯だ。

写真撮影	photographer
阿部徹雄	TETSUO Abe

写真提供	photo collection
阿部　力	TSUTOMU Abe

カラー塗装図	illustrations
西川幸伸	YUKINOBU Nishikawa

解説	text
佐藤暢彦	NOBUHIKO Sato
吉野泰貴	YASUTAKA Yoshino

英文	English text
平田光夫	MITSUO Hirata

協力	Special Thanks to
伊沢保穂	YASUHO Izawa
坂井田洋治	YOJI Sakaida
吉良　敢	ISAMI Kira

画像調整	Picture modification
小野寺　徹	TORU Onodera

【解説者紹介】

佐藤暢彦（さとう・のぶひこ）

1957年、神奈川県生まれ。出版社勤務のかたわら、日本海軍を主体とした戦史研究を行なっており、とくに一式陸上攻撃機に関する造詣が深く、雑誌『航空ファン』連載の「一式陸攻戦記」が記憶に新しい。近刊に『一式陸攻戦史』（潮書房光人社・2014年12月刊行予定）がある。

吉野泰貴（よしの・やすたか）

1972年、千葉県生まれ。都内の民間会社に勤務のかたわら、海軍航空史の研究を行なう。著書に『流星戦記』『真珠湾攻撃隊 隊員列伝（吉良 敢／共著）』『日本海軍艦上爆撃機 彗星 愛機とともに』『海軍戦闘第八一二飛行隊』（いずれも大日本絵画刊）がある。

海軍報道班員 阿部徹雄撮影 The photo collection by Tetsuo Abe, an IJN war correspondent

南海の海鷲たち 南西方面の日本海軍航空隊

The Imperial Japanese Navy Air Groups in the Southwest Pacific Theater

発行日　2014年11月29日　初版　第1刷

写真提供　阿部 力
解説　佐藤暢彦／吉野泰貴
デザイン・装丁　梶川義彦

発行人　小川光二
発行所　株式会社 大日本絵画
〒101-0054
東京都千代田区神田錦町1丁目7番地
TEL.03-3294-7861（代表）
http://www.kaiga.co.jp

編集人　市村 弘
企画／編集　株式会社アートボックス
〒101-0054
東京都千代田区神田錦町1丁目7番地
錦町一丁目ビル4階
TEL.03-6820-7000（代表）
http://www.modelkasten.com/

印刷／製本　大日本印刷株式会社

ISBN978-4-499-23144-2 C0076

内容に関するお問合わせ先：03（6820）7000　（株）アートボックス
販売に関するお問合わせ先：03（3294）7861　（株）大日本絵画